税法学習は、税理士への真の第一歩！

　本書を手にしたみなさんの多くは、税理士試験の会計科目（簿記論、財務諸表論）の受験をされた方や無事合格された方だと思います。よくぞ、ここまで来られました！

　そして、いよいよ税法科目の学習をはじめようとされる方にあらためて伝えておきたいことがあります。それは、税理士とは「税法のプロフェッショナルであり、法律家である」ということです。

　ですから、税法の学習は税理士への真の第一歩を踏み出したことになります。

　ここからまた気を引き締めていけば、税理士試験の合格も間近です。

　さて、ネットスクールでは税理士試験を目指す方への資格支援の学校として、画期的なことを行いました。それは、本来、高額な受講料を払ってのみ手にすることのできる講座使用教材を書店やネットショップで市販することでした。

　これにより、独学者にも平等に合格を目指す機会を提供することができましたし、また、独学者が同じ教材を使用して講座学習に切り替えられるという利便性を高めることができました。

　一方で、講座使用教材を誰もが購入できるということは、講座の付加価値の希薄化を招き、さらには講座のノウハウの流出というリスクも抱えてしまうことになりかねません。

　しかしそれでも、人生を賭けてチャレンジする受験生にとってよりよい教材は生命線であり、その気持ちを想像したときに、講座使用教材を市販することについて一縷の迷いも生じることはありませんでした。

　合格するための状況は我々が整えます。

　みなさんは、この本で勇気を持って始め、本気で学んでください。

　そうすれば、みなさん自身ばかりではなく、みなさんの周りの人たちをも幸せにできる、そんな人生が開けてきます。

　さあ、この一歩、いま踏み出しましょう！

税理士WEB講座
講師一同

JN102415

目次
Contents

税理士試験　理論集
消費税法

5 雑則、その他の規定

〈理論必勝法〉

巻末付録

効果的でムダのない理論学習

本書の構成・特長

本書は以下7つの特長により、効果的でムダのない理論学習が行えます。

❶ 全体を5のテーマに区分、テーマごとに枝番をつけて整理しています。

❷ 過去の出題理論ごとに1題にまとめ、タイトルを付しています。

❸ 過去の出題年度を記載し、出題頻度、出題サイクルを確認できます。

❹ 重要理論については、音声による理論学習が可能です。（詳細は右ページ）

❺ 各理論にはテキストの chapter 番号のマークがついています。（基➡基礎編、応➡応用編）

❻ 正確に覚えるべきキーワードや条文表現を太字にしています。

❼ 優先マーク❖を表記し、暗記の優先順位を3➡2➡1の数せ示しています。

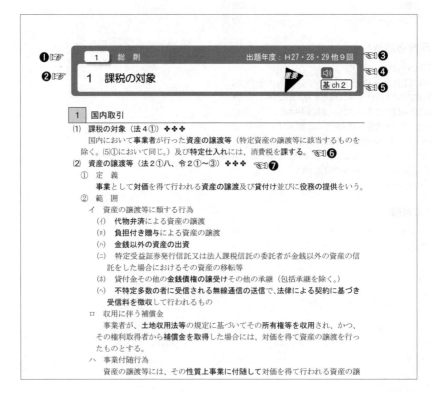

❶☞ 　1　総則　　　　　　出題年度：H27・28・29 他9回 ☜❸

❷☞ 　1　課税の対象　　　　　【重要】　🔊 ☜❹
　　　　　　　　　　　　　　　　　　　　基 ch 2 ☜❺

　1　国内取引

(1) 課税の対象（法4①）❖❖❖
　　国内において事業者が行った資産の譲渡等（特定資産の譲渡等に該当するものを
　除く。(5)①において同じ。）及び特定仕入れには、消費税を課する。 ☜❻

(2) 資産の譲渡等（法2①八、令2①～③）❖❖❖ ☜❼
　① 定義
　　事業として対価を得て行われる資産の譲渡及び貸付け並びに役務の提供をいう。
　② 範囲
　　イ　資産の譲渡等に類する行為
　　　(イ)　代物弁済による資産の譲渡
　　　(ロ)　負担付き贈与による資産の譲渡
　　　(ハ)　金銭以外の資産の出資
　　　(ニ)　特定受益証券発行信託又は法人課税信託の委託者が金銭以外の資産の信
　　　　　託をした場合におけるその資産の移転等
　　　(ホ)　貸付金その他の金銭債権の譲受けその他の承継（包括承継を除く。）
　　　(ヘ)　不特定多数の者に受信される無線通信の送信で、法律による契約に基づき
　　　　　受信料を徴収して行われるもの
　　ロ　収用に伴う補償金
　　　事業者が、土地収用法等の規定に基づいてその所有権等を収用され、かつ、
　　その権利取得者から補償金を取得した場合には、対価を得て資産の譲渡を行っ
　　たものとする。
　　ハ　事業付随行為
　　　資産の譲渡等には、その性質上事業に付随して対価を得て行われる資産の譲

いつでもどこでも理論の音声学習ができる
音声学習コンテンツ『ノウン』のご案内

iOS、Android 端末対応
980円[*]

受験生応援価格！
＊ 2024 年 8 月現在

特長1
重要理論の音声とデジタル版のWダウンロード
理論音声に加え、デジタル版も同時にダウンロードできます。ネット環境に関係なく、いつでもどこでも理論学習が可能です。移動中や外出先でもスマホやタブレットひとつで、すぐに学習を開始できます。（重要理論をピックアップしてのご提供となります。）

特長2
ドリルモードで優先箇所から反復学習
ノウンの機能「ドリルモード」では、優先マーク（✤）の付いた規定の柱ごとに暗記を進めることができます。優先マークの多いものから繰り返し覚え込むことができます。

特長3
暗記モードで忘れない！間違えない！
ノウンの機能「暗記モード」では、理論を1題ごとに選択し、最初から最後まで通して聞くことができます。一度覚えた理論を何度も聞き直すことで、暗記の定着を図るとともに暗記の正確性を高めることができます。

〔選択画面〕

〔ドリルモード〕

〔暗記モード〕

※ 画像は開発中のものです。

まずは1ヵ月間利用できる無料お試し版（サンプル）をお試しください！
無料お試し版は「ノウンストア」にて配布いたします。
下記のURLまたは右のQRコードで「ノウンストア」にアクセスし、サイト内の案内に従って無料お試し版をご利用下さい。

https://knoun.jp/knounclient/static/books/store.html

もっと利用したいという場合のご購入手続きについて
アプリ内での製品版をお買い求めください。簡単なご購入手続きにより、即ご利用いただけます。
詳しくは、お試し版に付属している利用案内等もご確認下さい。

アプリのダウンロード はこちらから

▼ iOS 版▼　　　▼ Android 版▼

※ 配信準備や審査等の都合により、販売開始までお待ち頂く場合がございます。
※ 為替相場の変動等の要因により販売価格が変更となる場合がございます。
※ アプリやデータのダウンロードに要する通信料はお客様のご負担となります。
※ 発売期間は 2025 年 8 月末日までの予定です。予めご了承ください。
※ 一度ご購入された場合、異なる端末等でも 2025 年 8 月末日までは再ダウンロードが可能です。
※ ノウンは NTT アドバンステクノロジ株式会社が提供するサービスです。
※ ノウンは NTT アドバンステクノロジ株式会社の登録商標です。

著者からのメッセージ

本書の著者であり、WEB講座の講師でもある山本和史先生から、本書を学習する前の心構えとしてメッセージがございます。本書を最大限に有効活用するためにも、まずはこのメッセージをお読みください。

プロフィール
講師　山本和史
講師歴 38 年。わかりやすい講義をモットーとし、長年の講師歴の中で培った受験生の陥りやすい誤りを未然に防ぐ授業を展開し受験生を合格へと導く。

◆学習アドバイス

　税理士試験受験生にとって理論暗記は避けて通ることができないものですが、理論暗記は一朝一夕でできるものではなく地道な努力（学習時間）が必要とされます。本書は受験生の皆様の学習時間を短縮できるよう各理論内容についてコンパクトに取り纏め覚えやすく編集しています。また、一度覚えた理論内容を忘れないようにするためには各理論の内容を正しく理解することにあります。本書では、各理論に別冊の「教科書」の単元が印刷されていますので、本書と「教科書」を使いただ単に覚えるのではなく、理解しながら覚え一度覚えた理論が長続きするようにしてください。

　その他、税法の理論暗記が初めてという受験生にとっては税法の理論は長文で覚え難いという声も多く聞きます。このような方々は、キーワードとなる部分がゴシック体で表記してありますので、最初はこのゴシック体の箇所から穴埋め形式で覚え（別冊の「問題集」に穴埋め形式の問題が掲載されています。）、その後 1 つの文章になるよう段階を追って覚えて行くようにしてください。

　ここで私の受験生時代の失敗談を 1 つご紹介します。私は理論の暗記を行う際以前覚えた理論を忘れた場合その忘れた理論に戻り覚え直すということを繰り返していました。このようなことを行っていましたので当然税理士試験までに全ての理論を覚えることはできませんでした。本書を手にしている皆様には私のような失敗をしないよう、以前覚えた理論を忘れても次の理論を覚えて行くようにしてください。一通り最後まで覚えたら最初に戻り再度暗記しなおすことを繰り返してください。2 回目以降の再暗記は、初回の暗記と違い以前覚えた内容が残っていますので短時間で再暗記できるようになります。

　理論暗記は、1つの理論を何回覚え直したかがポイントです。早目早目に着手し覚えていきましょう。

TAX ACCOUNTANT

税理士試験
理論集

消費税法

2025
年度版

Ⓢネットスクール出版

1　課税の対象

重要

基 ch 2

1　国内取引

(1)　**課税の対象**（法4①）✿✿✿

　　国内において**事業者**が行った**資産の譲渡等**（特定資産の譲渡等に該当するものを除く。(5)①において同じ。）及び**特定仕入れ**には、消費税を**課する**。

(2)　**資産の譲渡等**（法2①八、令2①～③）✿✿✿

　① **定　義**

　　　事業として対価を得て行われる資産の譲渡及び**貸付け並びに役務の提供**をいう。

　② **範　囲**

　　イ　資産の譲渡等に類する行為

　　　(イ)　**代物弁済**による資産の譲渡

　　　(ロ)　**負担付き贈与**による資産の譲渡

　　　(ハ)　**金銭以外の資産の出資**

　　　(ニ)　特定受益証券発行信託又は法人課税信託の委託者が金銭以外の資産の信託をした場合におけるその資産の移転等

　　　(ホ)　貸付金その他の金銭債権の譲受けその他の承継（包括承継を除く。）

　　　(ヘ)　**不特定多数の者に受信される無線通信の送信**で、**法律による契約に基づき受信料を徴収**して行われるもの

　　ロ　収用に伴う補償金

　　　事業者が、**土地収用法等**の規定に基づいてその**所有権等を収用**され、かつ、その権利取得者から**補償金を取得**した場合には、対価を得て資産の譲渡を行ったものとする。

　　ハ　事業付随行為

　　　資産の譲渡等には、その**性質上事業に付随**して対価を得て行われる資産の譲渡及び貸付け並びに役務の提供を含むものとする。

(3)　**特定資産の譲渡等**（法2①八の二）✿✿

　　事業者向け電気通信利用役務の提供及び**特定役務の提供**をいう。

(4)　**特定仕入れ**（法4①）✿

　　事業として他の者から受けた**特定資産の譲渡等**をいう。

(5)　**国内取引の判定**（法4③④）✿✿✿

　① **資産の譲渡等**

　　　資産の譲渡等が国内において行われたかどうかの判定は、次のそれぞれの場所が国内にあるかどうかにより行うものとする。ただし、次のハに掲げる場合において、ハに定める場所がないときは、その資産の譲渡等は国外で行われたものとする。

イ　資産の譲渡又は貸付けの場合

譲渡又は貸付けが行われる時においてその**資産が所在していた場所**（船舶、鉱業権等でその所在していた場所が明らかでないものとして一定のものである場合には、一定の場所）

ロ　役務の提供の場合（ハの場合を除く。）

役務の提供が行われた場所（その役務の提供が国際運輸、国際通信等でその役務の提供が行われた場所が明らかでないものとして一定のものである場合には、一定の場所）

ハ　電気通信利用役務の提供の場合

電気通信利用役務の提供を受ける者の**住所**若しくは**居所**又は**本店**若しくは**主たる事務所の所在地**

② 特定仕入れ

特定仕入れが国内において行われたかどうかの判定は、その特定仕入れを行った事業者が、その特定仕入れとして他の者から受けた役務の提供につき、①ロ又は①ハに定める**場所**が国内にあるかどうかにより行うものとする。

ただし、国外事業者が恒久的施設で行う特定仕入れ（他の者から受けた事業者向け電気通信利用役務の提供に限る。以下同じ。）のうち、国内において行う資産の譲渡等に要するものは、国内で行われたものとし、事業者（国外事業者を除く。）が国外事業所等で行う特定仕入れのうち、国外において行う資産の譲渡等にのみ要するものは国外で行われたものとする。

(6) **資産の譲渡とみなす行為**（法4⑤）❖❖❖

次の行為は、事業として対価を得て行われた資産の譲渡とみなす。

① 個人事業者が棚卸資産等の**事業用資産を家事のために消費**し、**又は使用**した場合におけるその消費又は使用

② 法人が**資産をその役員**（※1）**に対して贈与**した場合におけるその贈与

(※1)　法人税法に規定する役員をいう。

2 輸入取引

(1) **課税の対象**（法4②）❖❖

保税地域から引き取られる**外国貨物**には、消費税を課する。

(2) **保税地域からの引取りとみなす場合**（法4⑥）❖

保税地域において**外国貨物**が**消費**され、又は**使用された場合**には、その**消費又は使用をした者**がその**消費又は使用の時**にその**外国貨物を保税地域から引き取るものとみなす。**

ただし、その外国貨物が課税貨物の原料又は材料として消費され、又は使用された場合その他一定の場合は、この限りでない。

| 1 | 総　則 | 出題年度：H28・29・R4他3回 |

2　国内取引の判定

基ch2

1　資産の譲渡等 ❖❖❖

資産の譲渡等（特定資産の譲渡等に該当するものを除く。）が国内において行われたかどうかの判定は、次のそれぞれの場所が国内にあるかどうかにより行うものとする。ただし、⑶の場合において、⑶に定める場所がないときは、その資産の譲渡等は国外で行われたものとする。

⑴　資産の譲渡又は貸付けの場合（法4③一、令6①）

① 原則

譲渡又は貸付けが行われる時においてその資産が所在していた場所（船舶、鉱業権等でその所在していた場所が明らかでないものとして一定のものである場合には、②に掲げる場所）

② 特例

イ　船舶

(イ)　登録のあるもの

登録をした機関の所在地

なお、2以上の国において登録をしている場合には、いずれかの機関の所在地（一定のものは、譲渡又は貸付けを行う者の住所地）

(ロ)　登録のないもの

譲渡又は貸付けを行う者のこれらに係る事務所等の所在地

ロ　航空機

(イ)　登録のあるもの

登録をした機関の所在地

(ロ)　登録のないもの

譲渡又は貸付けを行う者のこれらに係る事務所等の所在地

ハ　鉱業権、租鉱権又は採石権等

鉱区、租鉱区又は採石場の所在地

ニ　特許権、実用新案権、意匠権又は商標権等

登録をした機関の所在地

なお、2以上の国において登録している場合には、権利の譲渡又は貸付けを行う者の住所地

ホ　公共施設等運営権

公共施設等の所在地

ヘ　著作権等

譲渡又は貸付けを行う者の住所地

ト　営業権、漁業権又は入漁権
　　　　事業を行う者の住所地
　　チ　有価証券（ヌ及びワを除く。）
　　　　有価証券が所在していた場所
　　リ　登録国債
　　　　登録をした機関の所在地
　　ヌ　国内振替機関及びこれに類する外国の機関（以下「振替機関等」という。）が
　　　　取り扱う有価証券
　　　　振替機関等の所在地
　　ル　出資者持分
　　　　持分に係る法人の本店又は主たる事務所の所在地
　　ヲ　金銭債権
　　　　債権者の譲渡に係る事務所等の所在地
　　ワ　ゴルフ場利用株式等
　　　　ゴルフ場等の所在地
　　カ　上記以外の資産で所在していた場所が明らかでないもの
　　　　資産の譲渡又は貸付けを行う者のこれらに係る事務所等の所在地
⑵　**役務の提供の場合（（⑶の場合を除く。）（法４③二、令６②）**
　①　原則
　　　役務の提供が行われた場所（その役務の提供が国際運輸、国際通信等でその役
　　務の提供が行われた場所が明らかでないものとして一定のものである場合には、
　　②に掲げる場所）
　②　特例
　　イ　国際運輸
　　　　出発地、発送地又は到着地
　　ロ　国際通信
　　　　発信地又は受信地
　　ハ　国際郵便又は国際信書便
　　　　差出地又は配達地
　　ニ　保険
　　　　保険事業を営む者の保険契約に係る事務所等の所在地
　　ホ　生産設備等の建設又は製造に関する調査、企画、立案等
　　　　建設又は製造に必要な資材の大部分が調達される場所
　　ヘ　上記以外のもので役務の提供が行われた場所が明らかでないもの
　　　　役務の提供を行う者の役務の提供に係る事務所等の所在地
⑶　**電気通信利用役務の提供の場合（法４③三）**
　　電気通信利用役務の提供を受ける者の**住所**若しくは**居所**又は**本店**若しくは**主たる**
　事務所の所在地

⑷　金銭の貸付け等の場合（令6③）

　　貸付け等を行う者のこれらに係る**事務所等の所在地**が国内にあるかどうかにより
行うものとする。

| 2 | 特定仕入れ（法4④）✤✤✤ |

　特定仕入れが国内において行われたかどうかの判定は、その特定仕入れを行った事
業者が、その特定仕入れとして他の者から受けた役務の提供につき、①⑵又は⑶に
定める場所が国内にあるかどうかにより行うものとする。

　ただし、国外事業者が恒久的施設で行う特定仕入れ（他の者から受けた事業者向け
電気通信利用役務の提供に限る。以下同じ。）のうち、国内において行う資産の譲渡等
に要するものは、国内で行われたものとし、事業者（国外事業者を除く。）が国外事業
所等で行う特定仕入れのうち、国外において行う資産の譲渡等にのみ要するものは国
外で行われたものとする。

Comment

●登録をするものに関しては登録地、登録をしないものは契約等で具体的な場所
　がある場合はその場所、具体的な場所が不明なときは住所地で判定します。

3　非課税

基ch3

1　国内取引（法6①、別表第二、令8〜16の2）❖❖❖

　国内において行われる資産の譲渡等のうち、次のものには、**消費税を課さない。**

(1)　**土地**（土地の上に存する権利を含む。）**の譲渡及び貸付け**（貸付期間が1月未満の場合及び施設の利用としての貸付けを除く。）

(2)　**有価証券**（ゴルフ場利用株式等を除く。）**及び支払手段**(収集品及び販売用のものを除く。)その他これらに類するもの（「有価証券等」という。）**の譲渡**

(3)　**利子を対価とする金銭の貸付け、信用の保証としての役務の提供、**一定の信託報酬を対価とする役務の提供及び**保険料を対価とする役務の提供、**その他これらに類するもの

(4)　**特定の者が行う郵便切手類、印紙、証紙の譲渡及び物品切手等の譲渡**

(5)　**行政事務等及び外国為替業務に係る役務の提供**

(6)　**健康保険法等に基づく療養、医療等としての資産の譲渡等**

(7)　**介護保険法に基づく居宅サービス等及び社会福祉事業等**（生産活動としてのもの等を除く。）**に係る資産の譲渡等**

(8)　**助産に係る資産の譲渡等**

(9)　**埋葬料、火葬料を対価とする役務の提供**

(10)　**身体障害者用物品に係る資産の譲渡等**

(11)　**学校教育法等に基づく教育として行う役務の提供**

(12)　**学校教育法に規定する教科用図書の譲渡**

(13)　**住宅の貸付け**（契約において居住用とされるものに限り（※1）、貸付期間が1月未満の場合を除く。）

> （※1）　その契約においてその貸付けに係る用途が明らかにされていない場合にその貸付け等の状況からみて人の居住の用に供されていることが明らかな場合を含む。

2　輸入取引（法6②、別表第二の二）❖❖

　保税地域から引き取られる外国貨物のうち、次のものには、消費税を課さない。

(1)　有価証券等

(2)　郵便切手類

(3)　印　紙

(4)　証　紙

(5)　物品切手等

(6)　身体障害者用物品

(7)　教科用図書

Comment
- 「国内取引」が「行為」を課税の対象としているのに対し、「輸入取引」は「貨物」（物）を課税の対象とします。したがって、国内取引の非課税については「何をどうする」まで正確に押さえる必要があります。「資産の譲渡」のみなのか？「資産の譲渡**等**」なのか？（譲渡・貸付け・役務の提供まで含むのか？）まで意識して確認しましょう。

4　輸出免税

重要 ▶

基ch4

1　輸出免税等（法7①）❖❖❖

　事業者（免税事業者を除く。）が国内において行う課税資産の譲渡等（特定資産の譲渡等に該当するものを除く。以下同じ。）のうち、輸出取引等に該当するものについては、消費税を免除する。

2　輸出取引等の範囲（法7①、令17①②）❖❖❖

⑴　本邦からの輸出として行われる資産の譲渡又は貸付け
⑵　外国貨物の譲渡又は貸付け（⑴に該当するものを除く。）
⑶　国際運輸又は国際通信
⑷　専ら⑶に掲げる輸送の用に供される船舶又は航空機の譲渡、貸付け又は修理で一定のもの
⑸　上記に掲げる資産の譲渡等に類するもの
　①　船舶運航事業者等に対する外航船舶等の譲渡、貸付け又は修理その他一定の役務の提供
　②　外国貨物に係る荷役、運送、保管、検数又は鑑定等の役務の提供（※1）
　③　国際郵便又は国際信書便
　④　非居住者に対する無形固定資産等の譲渡又は貸付け
　⑤　非居住者に対する役務の提供で、国内において直接便益を享受するもの以外のもの

> （※1）　指定保税地域等における内国貨物に係るこれらの役務の提供を含み、特例輸出貨物に係る役務の提供にあっては、一定のものに限る。

3　輸出証明❖❖

⑴　適用要件（法7②）
　この規定は、その課税資産の譲渡等が輸出取引等に該当するものであることにつき、証明がされたものでない場合には、適用しない。
⑵　証明方法（規5①）
　輸出許可書等の書類又は帳簿を整理し、その課税資産の譲渡等を行った日の属する課税期間の末日の翌日から2月を経過した日から7年間、納税地又は事務所等の所在地に保存することにより証明する。

用語の意義

課税資産の譲渡等（法2①九）

資産の譲渡等のうち、国内取引の非課税の規定により、消費税を課さないこととされるもの以外のものをいう。

《課税資産の譲渡等とは…》

下記のように資産の譲渡等のうち「1－3 非課税」の①で限定列挙された13の取引以外が課税資産の譲渡等とされています。

このうち、法7①で規定する「輸出取引等」に該当する取引を免税取引としています。

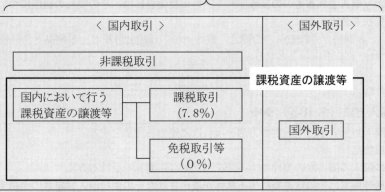

なお、消費税法では「7.8%課税取引」そのものを指す用語はないため、7.8%課税取引は「国内における課税資産の譲渡等（輸出免税取引等を除く。）」と表現されます。

ここでいう「輸出免税取引等」には、「輸出取引等に係る免税」以外の輸出取引（下記Comment参照）も含まれます。

Comment

● 輸出免税の対象となるものは「輸出取引等」に該当するものです。免税の規定はこの他に「輸出物品販売場」や「租税特別措置法」の免税規定がありますが、「輸出免税」といった場合には、この「輸出取引等」に対する免税を指します。

● 「非課税」で学習したように、「課税の対象」となる取引のうち、国内取引の非課税に該当する取引以外を「課税資産の譲渡等」というため、輸出免税取引は「課税資産の譲渡等」に含まれる概念だということに注意しましょう。

5　輸出物品販売場における免税

1　輸出物品販売場における免税（法8①、令18②⑭）❖❖❖

　輸出物品販売場を経営する事業者が、**免税購入対象者**（非居住者であって、上陸の許可を受けて在留する者、外交若しくは公用の在留資格又は短期滞在の在留資格をもって在留する者その他一定の者をいう。以下同じ。）に対し、**免税対象物品**（金又は白金の地金その他通常生活の用に供しないもの並びに一定の消耗品にあっては、一定の合計額が 50 万円を超えるもの以外の物品をいう。以下同じ。）で輸出するため一定の**方法により購入されるものの譲渡**（※1）を行った場合には、**その物品の譲渡については、消費税を免除する。**

> （※1）　非課税とされるものを除き、税抜対価の額の合計額が一般物品と消耗品それぞれ 5 千円以上となるときに限る。

2　購入方法（令18③）❖❖

　免税購入対象者が行う一定の方法とは、次に定める方法とする。

(1)　一般物品

　　その購入の際、次の要件のすべてを満たして引渡しを受ける方法

　①　**旅券等**又はその**旅券等に係る情報が表示された**その免税購入対象者の使用する**通信端末機器の映像面**をその輸出物品販売場を経営する事業者に**提示**し、かつ、その**旅券等に係る情報**をその事業者に**提供**すること。

　②　**日本国籍を有する者**であって、国外に引き続き 2 年以上住所等を有することにつき**一定の書類により確認された者**にあっては、その書類を輸出物品販売場を経営する事業者に提示し、かつ、その書類に記載された情報をその事業者に提供すること又はその**書類の写し**をその事業者に提出すること。

(2)　消耗品

　　その購入の際、(1)①及び②の要件を満たし、かつ、消耗品が**一定の方法によって包装された**その消耗品の引渡しを受ける方法

3　購入者に対する説明義務（令18⑪）❖❖

　輸出物品販売場を経営する事業者は、その輸出物品販売場において一定の方法により免税対象物品を購入する免税購入対象者に対し、その免税対象物品が輸出するためこれらの規定に定める方法により購入されるものであることその他一定の事項を説明しなければならない。

4　書類の保存（法8②）✦✦

　　1の規定は、輸出物品販売場を経営する事業者が、その物品が免税購入対象者によって2に規定する方法により購入されたことを証する**書類又は電磁的記録**を保存しない場合には、適用しない。

　　ただし、次の場合にはこの限りでない。

⑴　**輸出しなかった場合等**の規定により消費税が徴収された場合

⑵　**災害その他やむを得ない事情**により、その**保存**をすることができなかったことを証明した場合

5　輸出しなかった場合の課税（法8③）✦

　　輸出物品販売場において免税対象物品を2に規定する方法により購入した免税購入対象者が、**本邦から出国する日までに、その物品を輸出しない**ときは、その**出港地の所轄税関長**は、その者からその物品の譲渡についての**免除に係る消費税額に相当する消費税を直ちに徴収**する。

　　ただし、その物品を**災害その他やむを得ない事情により亡失したため輸出しない**ことにつき、その税関長の承認を受けた場合は、この限りでない。

　　なお、その者が**免税購入対象者でなくなる場合**には、そのなくなる時におけるその者の**住所地又は居所地の所轄税務署長**が徴収する。

6　譲渡、譲受けがされた場合✦

⑴　譲渡・譲受けの禁止（法8④）

　　免税対象物品で、免税購入対象者が輸出物品販売場において2に規定する方法により購入した物品は、一定の場合を除き、国内において譲渡又は譲受けをしてはならない。

⑵　譲渡・譲受けをした場合（法8⑤）

　　⑴の物品の譲渡又は譲受けがされたときは、税務署長は、やむを得ない事情があることにつき**承認を受けた者があるときはその者から**、その**承認を受けないでその譲渡又は譲受けがされたときは**、その**物品を譲り渡した者から**その物品の譲渡についての免除に係る消費税額に相当する消費税を直ちに徴収する。

⑶　連帯納付の義務（法8⑥）

　　税務署長の承認を受けないで国内において⑴の物品の譲渡又は譲受けがされたときは，その物品を譲り受けた者（所持をした者を含む。）は、その物品を譲り渡した者と連帯してその物品の譲渡についての免除に係る消費税額に相当する消費税を納付する義務を負う。

7 輸出物品販売場 （法8⑦、令18②） ✤✤

　次の要件のすべてを満たす事業者（免税事業者を除く。）の経営する販売場であって、免税購入対象者に対し**免税対象物品で**②**に規定する方法により購入されるものの譲渡**をすることができるものとして、その納税地の所轄税務署長の許可を受けた販売場をいう。

⑴　現に国税の滞納（滞納額の徴収が著しく困難であるものに限る。）がないこと。

⑵　輸出物品販売場の許可を取り消され、その取消しの日から3年を経過しない者でないことその他輸出物品販売場を経営する事業者として特に不適当と認められる事情がないこと。

8 輸出物品販売場の許可の取消 （法8⑧） ✤

　税務署長は、輸出物品販売場を経営する事業者が消費税に関する法令に違反した場合又はその施設等が特に不適当と認められる場合には、輸出物品販売場の許可を取り消すことができる。

Comment
●輸出物品販売場の規定は税務署長の「許可」が必要な規定（この規定のみ）です。「許可」の表現は「承認」よりも特別な場合に用います。

6　輸出物品販売場の許可に関する手続等

基ch 4

1　輸出物品販売場の申請等 ✤

(1)　申請書の提出（令18の2①）

輸出物品販売場の許可を受けようとする販売場を経営する事業者は、**一定の事項を記載した申請書に一定の書類を添付して、納税地の所轄税務署長に提出**しなければならない。

(2)　許可又は却下（令18の2②）

税務署長は、(1)の申請書の提出があった場合には、遅滞なく、これを審査し、一定の輸出物品販売場の許可の区分に応じ、許可をし、又は要件を満たさないときは、その申請を却下する。

(3)　輸出物品販売場（法8⑦、令18②）

次の要件のすべてを満たす事業者（免税事業者を除く。）の経営する販売場であって、免税購入対象者に対し**免税対象物品**（金又は白金の地金その他通常生活の用に供しないもの並びに一定の消耗品にあっては、一定の合計額が50万円を超えるもの以外の物品をいう。以下同じ。）で一定の方法により購入されるものの譲渡をすることができるものとして、その納税地の所轄税務署長の許可を受けた販売場をいう。

①　現に国税の滞納（滞納額の徴収が著しく困難であるものに限る。）がないこと。

②　輸出物品販売場の許可を取り消され、その取消しの日から3年を経過しない者でないことその他輸出物品販売場を経営する事業者として特に不適当と認められる事情がないこと。

2　承認免税手続事業者の申請等 ✤

(1)　申請書の提出（令18の2⑧）

一の特定商業施設内に免税手続カウンターを設置することにつき、承認を受けようとする事業者は、**一定の事項を記載した申請書に一定の書類を添付して、その納税地の所轄税務署長に提出**しなければならない。

(2)　許可又は却下（令18の2⑨）

税務署長は、(1)の申請書の提出があった場合には、遅滞なく、これを審査し、その申請を承認し、又は一定の要件を満たさないときは、その申請を却下する。

(3)　承認免税手続事業者（令18の2⑦）

次の要件のすべてを満たす事業者（免税事業者を除く。）で、一の特定商業施設内に免税手続カウンターを設置することにつき、その納税地の所轄税務署長の承認を受けた者をいう。

① 現に国税の滞納（滞納額の徴収が著しく困難であるものに限る。）がないこと。

② 免税手続カウンターに免税販売手続に必要な人員を配置すること。

③ その事業者が、輸出物品販売場の許可を取り消され、又は承認免税手続事業者若しくは承認送信事業者の承認を取り消され、かつ、その取消しの日から３年を経過しない者でないことその他免税手続カウンターを設置する承認免税手続事業者として特に不適当と認められる事情がないこと。

(3) 免税手続カウンター（令18の2②）

他の事業者が免税購入対象者に対して譲渡する免税対象物品に係る免税販売手続につき、承認免税手続事業者が代理を行うための施設設備をいう。

Comment

● 1 は輸出物品販売場の許可を受けようとする事業者が納税地の所轄税務署長に提出する「輸出物品販売場許可申請書」の説明であり、2 は輸出物品販売場を経営する事業者に代わり免税販売手続を行おうとする一定の商業施設内に免税手続カウンターを設置する事業者が納税地の所轄税務署長に提出する「承認免税手続事業者承認申請書」を説明しているものです。

● 承認免税手続事業者とは、納税地の所轄税務署長の承認を受けた免税手続を行う事業者のことをいいます。

7　電子情報処理組織による購入記録情報の提供

基 Ch 4

1　電子情報処理組織による購入記録情報の提供❖❖

(1) 購入記録情報の提供（令 18⑦）

　　免税購入対象者より旅券情報等の提供を受けた輸出物品販売場を経営する事業者は、**購入記録情報**（免税対象物品を購入する免税購入対象者から提供を受けた旅券情報等及びその免税購入対象者の免税対象物品の購入の事実を記録した電磁的記録をいう。以下同じ。）を、あらかじめその納税地の所轄税務署長に届け出て行う**電子情報処理組織を使用する方法として一定の方法により、免税販売手続の際、遅滞なく国税庁長官に提供しなければならない**。この場合において、その購入記録情報は、国税庁の使用に係る電子計算機に備えられたファイルへの記録がされた時に国税庁長官に到達したものとみなす。

(2) 宥恕規定（令 18⑨）

　　輸出物品販売場を経営する事業者は、(1)の規定による購入記録情報の提供につき、**災害その他やむを得ない事情により国税庁長官に提供することができなかった場合**には、その災害その他やむを得ない事情がやんだ後速やかにその購入記録情報を国税庁長官に提供しなければならない。

2　電子情報処理組織による購入記録情報の提供の特例❖❖

(1) 購入記録情報の提供（令 18 の 4①）

　　承認送信事業者は、次に掲げる要件の全てを満たすときは、□(1)の規定にかかわらず、その承認送信事業者が締結した①の契約に係る輸出物品販売場を経営する事業者のために、□(1)の規定により行うべき**購入記録情報の提供をその契約に係る輸出物品販売場の別に行うことができる**。この場合において、その承認送信事業者は、その購入記録情報又はその購入記録情報に係る一定の書類をその輸出物品販売場を経営する事業者に提供し、又は交付するものとする。

①　**輸出物品販売場を経営する事業者**（手続委託型輸出物品販売場を経営する事業者にあっては、その手続委託型輸出物品販売場を経営する事業者又はその手続委託型輸出物品販売場に係る承認免税手続事業者。②において同じ。）**とその承認送信事業者との間において、その承認送信事業者がその輸出物品販売場に係る購入記録情報を国税庁長官に提供することに関する契約が締結されていること**。

②　その承認送信事業者が購入記録情報を国税庁長官に提供することにつき、①の契約に係る**輸出物品販売場を経営する事業者との間において必要な情報を共有するための措置が講じられていること**。

(2) 承認送信事業者（令18の4④）

　承認送信事業者とは、次に掲げる要件の全てを満たす事業者（免税事業者除く。）
で、(1)の規定により**購入記録情報を提供することにつき、その納税地の所轄税務署
長の承認を受けた者**をいう。

① 　現に国税の滞納（その滞納額の徴収が著しく困難であるものに限る。）がないこ
と。

② 　(1)②に掲げる要件を満たして**購入記録情報を** 1 (1)に規定する**一定の方法によ
り適切に国税庁長官に提供できる**こと。

③ 　その事業者が、**輸出物品販売場の許可を取り消され、又は承認免税手続事業者
若しくは承認送信事業者の承認を取り消され**、かつ、**その取消しの日から3年を
経過しない者でないこと**その他購入記録情報を提供する承認送信事業者として特
に不適当と認められる事情がないこと。

(3) 申請書の提出（令18の4⑤）

　(1)の規定により購入記録情報を提供することにつき、(2)の承認を受けようとする
事業者は、**一定の事項を記載した申請書に一定の書類を添付**して、その納税地の所
轄税務署長に提出しなければならない。

Comment

● 電子情報処理組織とは、国税庁のコンピューターと輸出物品販売場のコンピュー
ターとをインターネットで接続したものをいいます。また、遅滞なくとは、免税
販売の都度という意味です。

● 1 は輸出物品販売場を経営する事業者自ら購入記録情報を国税庁長官に提供する
内容の説明であり、 2 は輸出物品販売場を経営する事業者に代わり承認送信事業者
が購入記録情報を国税庁長官に提供する内容を説明しているものです。

● 承認送信事業者とは、納税地の所轄税務署長の承認を受けた購入記録情報の送信を行
う事業者のことをいいます。承認免税手続事業者、承認送信事業者と承認○○事業者
が出てきますが、内容を正確に押さえ間違わないようにしてください。

| 1 | 総　則 |

8　臨時販売場における輸出物品の販売

基 ch 4

1　みなし輸出物品販売場

(1) みなし輸出物品販売場（法8⑨） ❖❖

　臨時販売場を設置しようとする事業者（輸出物品販売場を経営する事業者に限る。）で(2)の承認を受けた者が、その臨時販売場を設置する日の前日までに、その臨時販売場を設置しようとする期間その他一定の事項を記載した届出書に一定の書類を添付して、納税地の所轄税務署長に提出したときは、その期間に限り、その臨時販売場を輸出物品販売場とみなして、輸出物品販売場の免税の規定を適用する。

(2) 臨時販売場の申請（法8⑩、令18の5） ❖

① (1)の規定の適用を受けようとする事業者は、あらかじめ、納税地の所轄税務署長の承認を受けなければならない。

② ①の承認を受けようとする事業者は、一定の事項を記載した申請書に一定の書類を添付して、納税地の所轄税務署長に提出しなければならない。

③ 税務署長は、②の申請書の提出があった場合には、遅滞なく、これを審査し、次の事業者の区分に応じ、その申請を承認し、又は申請者が次の要件を満たさないときは、その申請を却下する。

　イ　一般型輸出物品販売場又は手続委託型輸出物品販売場とみなされる臨時販売場を設置しようとする事業者

　　次に掲げる要件の全てを満たすこと。

　　⑴　臨時販売場における免税販売手続に係る事務を的確に遂行するための必要な体制が整備されている事業者であること。

　　㊀　輸出物品販売場の許可を取り消され、又は臨時販売場の承認を取り消され、かつ、その取消しの日から3年を経過しない者でないことその他臨時販売場を設置する事業者として特に不適当と認められる事情がないこと。

　　㊁　一般型輸出物品販売場又は手続委託型輸出物品販売場の許可を受けている事業者であること。

　ロ　自動販売機型輸出物品販売場とみなされる臨時販売場を設置しようとする事業者

　　イ⑴及び㊀の要件を満たすこと。

2　臨時販売場（法8⑨） ❖❖

　免税購入対象者に対し、免税対象物品（金又は白金の地金その他通常生活の用に供しないもの並びに一定の消耗品にあっては、一定の合計額が50万円を超えるもの以外の物品をいう。）を譲渡するために7月以内の期間を定めて設置する販売場をいう。

〈理論必勝法〉理論を得意にしよう！！

●「理論ってなんだか大変そう？」

簿記などの会計と違い、税法の試験の最大の特徴が理論の問題です。

過去問などを見ると、長文が何ページにもわたり解答として記載されていて、
「こんなの書けない…」という印象をお持ちの方も多いと思います。

計算は得意だけど理論が書けないから税法は苦手という方も多いのが実情で
す。でも、理論を得意にしておくとこんなメリットがあるんですよ。

●「理論が得意になると、どんなメリットがあるの？」

理論と計算の最大の違い、それは、配点方法の違いです。

たとえば、残り時間が５分しかなかったとします。この５分を計算に充てよう
とすると、解ける部分は１～２箇所。計算の配点は各１～２点ですからこの５分
で取れる点数も当然１～２点の世界です。

ところが、理論ではこの５分で５行や 10 行は記載できます。配点は重要部分
であればワンセンテンスで５点くらいの配点になることがありますから、時間制
限がある場合には確実に書ける理論を書いた方が効率よく得点できるというメ
リットがあります。

理論の学習は暗記の比重が高い分、多くのひっかけや見たことのない難問が出
題される計算よりも確実に得点できることが多く、合格に必要な基礎点を確実に
取ることができるのです。

●「理論は暗記だけすればいいの？」

そうはいっても、最近の本試験問題では時間内に書ききれない分量だったり、
自分なりの説明を要求する問題も多く、単なる暗記だけでは対応できないことが
多くなってきています。独学では難しい理論の学習。

このコーナーでは、理論を学習していく際の学習方法や暗記や解答のコツなど
について説明していきます。

9 納税義務者及び 小規模事業者の納税義務の免除

基 ch6

---

1 納税義務者の原則 ✤✤✤

(1) 国内取引（法5①）

　　事業者は、国内において行った課税資産の譲渡等（特定資産の譲渡等に該当する ものを除く。以下同じ。）及び**特定課税仕入れ**（課税仕入れのうち特定仕入れに該当 するものをいう。以下同じ。）につき、消費税を納める義務がある。

(2) 輸入取引（法5②）

　　外国貨物を保税地域から引き取る者は、課税貨物につき、消費税を納める義務が ある。

---

2 小規模事業者に係る納税義務の免除（法9①） ✤✤✤

　　事業者のうち、その課税期間に係る**基準期間における課税売上高が1,000万円以下 である者**（適格請求書発行事業者を除く。）については、1(1)の規定にかかわらず、 その課税期間中に国内において行った**課税資産の譲渡等及び特定課税仕入れ**につき、 消費税を納める義務を免除する。

　　ただし、別段の定めがある場合は、この限りでない。

---

3 課税事業者の選択（法9④） ✤✤

　　2の規定により消費税を納める義務が免除されることとなる事業者が、その基準期 間における課税売上高が1,000万円以下である課税期間につき、**課税事業者選択届出書** をその納税地の所轄税務署長に提出した場合には、その提出をした事業者がその提出を した日の属する課税期間の翌課税期間（※1）以後の課税期間（※2）中に国内において 行う課税資産の譲渡等及び特定課税仕入れについては、**納税義務は免除されない**。

（※1）	その提出をした日の属する課税期間が一定の課税期間である場合には、その 課税期間。
（※2）	基準期間における課税売上高が1,000万円を超える課税期間を除く。

| 4 | 選択不適用の届出 ❖❖ |

(1) 提出（法9⑤）

　　課税事業者選択届出書を提出した事業者は、その規定の適用をやめようとするとき又は事業を廃止したときは、**課税事業者選択不適用届出書をその納税地の所轄税務署長に提出しなければならない。**

(2) 提出制限（法9⑥）

　　課税事業者選択届出書を提出した事業者は、事業を廃止した場合を除き、**課税事業者の選択の適用を受けることとなった課税期間の初日から2年を経過する日の属する課税期間の初日以後でなければ、課税事業者選択不適用届出書を提出すること**ができない。

(3) 届出の効力（法9⑧）

　　課税事業者選択不適用届出書の提出があったときは、その提出があった日の属する**課税期間の末日の翌日以後は、課税事業者の選択の届出は、その効力を失う。**

| 5 | 調整対象固定資産の仕入れ等を行った場合（法9⑦）❖❖ |

(1) 内容

　　課税事業者選択届出書を提出した事業者は、**課税事業者の選択の適用を受けることとなった課税期間の初日から2年を経過する日までの間に開始した各課税期間**（簡易課税制度の適用を受ける課税期間を除く。）中に調整対象固定資産の仕入れ等を行った場合（※1）には、4 (2)にかかわらず、事業を廃止した場合を除き、その**仕入れ等の日の属する課税期間の初日から3年を経過する日の属する課税期間の初日以後でなければ、課税事業者選択不適用届出書を提出することができない。**

(2) 提出がなかったものとみなす場合

　　(1)の場合において、**調整対象固定資産の仕入れ等の日の属する課税期間の初日からその仕入れ等の日までの間に課税事業者選択不適用届出書をその納税地の所轄税務署長に提出しているときは、その届出書の提出はなかったものとみなす。**

> （※1）　一定の課税期間においてその届出書の提出前にその仕入れ等を行った場合を含む。

6　宥恕規定 ✿

(1)　内容（法9⑨、令20の2①②）

　　事業者が、やむを得ない事情があるため課税事業者選択届出書又は課税事業者選択不適用届出書をその適用を受けようとし、又は受けることをやめようとする課税期間の初日の前日（※1）までに提出できなかった場合において、その納税地の所轄税務署長の承認を受けたときは、これらの届出書を**その課税期間の初日の前日**に税務署長に提出したものとみなす。

(2)　申請書の提出（令20の2③）

　　この規定の適用を受けようとする事業者は、**一定の申請書**を、その**事情がやんだ後相当の期間内**に、その納税地の所轄税務署長に**提出**しなければならない。

(3)　却下及び通知（令20の2④⑤）

　　税務署長は、(1)の届出書の提出ができなかったことにつきやむを得ない事情がないと認めるときは、その申請を却下する。

　　なお、その申請につき承認又は却下の処分をするときは、その申請をした事業者に対し、書面によりその旨を通知する。

> （※1）　その課税期間が一定の課税期間である場合には、その課税期間の末日。

7　一定の課税期間（令20）✿

　一定の課税期間とは、次の課税期間とする。

(1)　事業者が国内において課税資産の譲渡等に係る事業を開始した日の属する課税期間

(2)　個人事業者が相続により課税事業者の選択の規定の適用を受けていた被相続人の事業を承継した日の属する課税期間

(3)　法人が吸収合併により課税事業者の選択の規定の適用を受けていた被合併法人の事業を承継した日の属する課税期間

(4)　法人が吸収分割により課税事業者の選択の規定の適用を受けていた分割法人の事業を承継した日の属する課税期間

Comment

●納税義務者の原則は、「国内取引」と「輸入取引」に分かれていますが、「輸入取引」には特例がないため、原則以外の規定はすべて国内取引の規定となります。

●法9①にある「別段の定め」は、「納税義務の免除の特例」に関する各規定を指します。各規定の適用順序は、以下のとおりとなりますが、条文番号の順番どおりに適用されると押さえておきましょう。

課税事業者の選択（法9④）

前年等の課税売上高による納税義務の免除の特例（法9の2）

相続、合併、分割等があった場合の納税義務の免除の特例（法10、11、12）

新設法人の納税義務の免除の特例（法12の2）

特定新規設立法人の納税義務の免除の特例（法12の3）

高額特定資産を取得した場合の納税義務の免除の特例（法12の4）

| 1 | 総　則 | 出題年度：H30 |

10　前年等の課税売上高による納税義務の免除の特例

重要 ▶

基 ch 6

1　前年等の課税売上高による納税義務の免除の特例（法9の2①）❖❖❖

　個人事業者のその年又は法人のその事業年度の**基準期間**における課税売上高が**1,000万円以下である場合**（※1）において、**特定期間**における課税売上高が**1,000万円を超えるとき**は、その年又はその事業年度における**課税資産の譲渡等**（特定資産の譲渡等に該当するものを除く。以下同じ。）**及び特定課税仕入れ**（課税仕入れのうち特定仕入れに該当するものをいう。）については、**納税義務は免除されない。**

> （※1）　課税事業者を選択している場合を除く。

2　特定期間（法9の2④）❖❖❖

　特定期間とは、次の期間をいう。
(1)　**個人事業者**
　　その年の前年1月1日から6月30日までの期間
(2)　**法人**
　①　前事業年度が短期事業年度（※1）でない法人
　　その前事業年度開始の日以後6月の期間
　②　前事業年度が短期事業年度（※1）である法人
　　その事業年度の前々事業年度（※2）開始の日以後6月の期間
　　なお、その前々事業年度が6月以下の場合には、その前々事業年度開始の日からその終了の日までの期間

> （※1）　7月以下である事業年度その他一定のものをいう。
> （※2）　その事業年度の基準期間に含まれるものその他一定のものを除く。

3　特定期間における課税売上高（法9の2②）❖❖❖

　特定期間中に国内において行った課税資産の譲渡等の対価の額の合計額から、特定期間中に行った売上げに係る税抜対価の返還等の金額の合計額を控除した残額をいう。

4　給与等の合計額を用いる場合（法9の2③）❖❖❖

　国外事業者以外の事業者が**1**の規定を適用する場合においては、特定期間中に支払った所得税法に規定する支払明細書に記載すべき給与等の金額として一定のものの合計額をもって、特定期間における課税売上高とすることができる。

〈理論必勝法〉理論の学習方法①
～テキストで内容を理解する～

　税法の学習にあたって必ず乗り越えなければならない理論の壁。

　ここでは、理論の学習方法について確認していきましょう。

　理論集を開いたときに、「こんなものどうやって覚えたらいいのだろう…」と途方に暮れた方が多いと思います。そのヒントを得るため、まずは税法の条文構成を確認してみましょう。

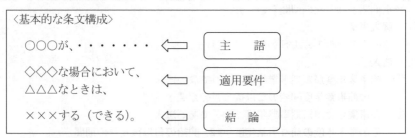

　〈基本的な条文構成〉

○○○が、・・・・・・・	⇐	主　　語
◇◇◇な場合において、 △△△なときは、	⇐	適用要件
×××する（できる）。	⇐	結　　論

　多くの税法の条文はこのような要素で構成されています。

　税法に限らず法律の条文は、「何かが起きたときに、どう判断していくのか」ということに対して定められていますから、

　① 　その対象となるひと（主語）

　② 　そのひとが何をしたら適用するのか（適用要件）

　③ 　その結果どうするのか（結論・計算上の処理方法など）

が、文章として書かれているわけです。長い形容詞がついてわかりづらくなっていますが、本質はシンプルなのです。

　まずは、このような形で文章の要旨を整理してみましょう。

　テキストでは、適用要件や処理方法（結論）を、短い言葉でまとめています。

　まずはテキストをよく読んで、どういう規定なのか理解したうえで、暗記をしていきましょう。

| 1 | 総　則 | 出題年度：H28 |

11　相続があった場合の納税義務の免除の特例

重要　応 ch 7

　相続があった場合の納税義務の免除の特例 ✤✤✤

(1)　相続があった年（法10①）

　その年において相続があった場合において、次の要件を満たすときは、その相続人のその相続のあった日の翌日からその年の 12 月 31 日までの間における課税資産の譲渡等（特定資産の譲渡等に該当するものを除く。以下同じ。）及び特定課税仕入れ（課税仕入れのうち特定仕入れに該当するものをいう。以下同じ。）については、納税義務は免除されない。

　①　相続人の基準期間における課税売上高が 1,000 万円以下であること

　②　被相続人の基準期間における課税売上高が 1,000 万円を超えること

(2)　相続があった年の翌年以後（法10②）

　その年の前年又は前々年に相続があった場合において、次の要件を満たすときは、その相続人のその年における課税資産の譲渡等及び特定課税仕入れについては、納税義務は免除されない。

　①　相続人の基準期間における課税売上高が 1,000 万円以下であること

　②　相続人の基準期間における課税売上高とその相続に係る被相続人の基準期間における課税売上高との合計額が 1,000 万円を超えること

(3)　適用除外

　この規定は、相続人が次のいずれかに該当する場合には適用しない。

　①　課税事業者の選択の適用を受けていること

　②　特定期間における課税売上高が 1,000 万円を超えること

　分割して承継した場合の被相続人の基準期間における課税売上高（法10③、令21）✤

　相続により、2 以上の事業場を有する被相続人の事業を 2 以上の相続人が事業場ごとに分割して承継した場合の被相続人の基準期間における課税売上高は、その相続人が相続した事業場に係る部分の金額とする。

Comment

●相続の特例は、以下の判定を文章にしています。

〈相続があった年〉

被相続人の基準期間における課税売上高 ＞ 1,000 万円

〈相続があった年の翌年、翌々年〉

$$\left(\begin{array}{l}相続人の基準期間に\\おける課税売上高\end{array}\right) + \left(\begin{array}{l}被相続人の基準期間\\における課税売上高\end{array}\right) ＞ 1,000 万円$$

●2 の規定は、上記判定に使用する「被相続人の基準期間における課税売上高」として用いる金額に関する特例です。

| 1 | 総 則 |　　出題年度：H12・22 |

12　合併があった場合の納税義務の免除の特例

応 ch 8

1　吸収合併 ❖❖❖

(1)　合併事業年度（法11①）

　吸収合併があった場合において、次の要件を満たすときは、その合併法人のその合併があった日からその合併があった日の属する事業年度終了の日までの間における課税資産の譲渡等（特定資産の譲渡等に該当するものを除く。以下同じ。）及び特定課税仕入れ（課税仕入れのうち特定仕入れに該当するものをいう。以下同じ。）については、納税義務は免除されない。

① 　合併法人の基準期間における課税売上高が1,000万円以下であること

② 　被合併法人（被合併法人が2以上ある場合にはいずれか）の対応する期間の課税売上高（※1）が1,000万円を超えること

(2)　合併事業年度の翌事業年度以後（法11②）❖

　合併法人のその事業年度の基準期間の初日の翌日からその事業年度開始の日の前日までの間に吸収合併があった場合において、次の要件を満たすときは、その合併法人のその事業年度における課税資産の譲渡等及び特定課税仕入れについては、納税義務は免除されない。

① 　合併法人の基準期間における課税売上高が1,000万円以下であること

② 　合併法人の基準期間における課税売上高と被合併法人の対応する期間の課税売上高（※1）（被合併法人が2以上ある場合には合計額）との合計額が1,000万円を超えること

> （※1）　合併法人のその事業年度の基準期間に対応する期間における被合併法人の課税売上高として一定の金額をいう。

(3)　適用除外

　この規定は、合併法人が次のいずれかに該当する場合には適用しない。

① 　課税事業者の選択の適用を受けていること

② 　特定期間における課税売上高が1,000万円を超えること

2　新設合併 ❖❖❖

(1)　合併事業年度（法11③）❖

　新設合併があった場合において、次の要件を満たすときは、その合併法人のその合併があった日の属する事業年度における課税資産の譲渡等及び特定課税仕入れについては、納税義務は免除されない。

① 被合併法人の対応する期間の課税売上高（※1）のいずれかが1,000万円を超えること

⑵ 合併事業年度の翌事業年度以後（法11④）❖

　　合併法人のその事業年度開始の日の2年前の日からその事業年度開始の日の前日までの間に新設合併があった場合において、次の要件を満たすときは、その合併法人のその事業年度における課税資産の譲渡等及び特定課税仕入れについては、納税義務は免除されない。

① 合併法人の基準期間における課税売上高が1,000万円以下であること

② 合併法人の基準期間における課税売上高（年換算しない金額）と各被合併法人の対応する期間の課税売上高（※1）の合計額との合計額が1,000万円を超えること

　（※1）　合併法人のその事業年度の基準期間に対応する期間における被合併法人の課税売上高として一定の金額をいう。

⑶ 適用除外

　　この規定は、合併法人が次のいずれかに該当する場合には**適用しない**。

① 課税事業者の選択の適用を受けていること

② 特定期間における課税売上高が1,000万円を超えること

Comment

●合併の特例は、以下の判定を文章にしています。

〈合併事業年度〉

　　被合併法人の対応する期間の課税売上高 ＞ 1,000万円

〈翌事業年度以後〉

$$\left(\begin{array}{c}\text{合併法人の基準期間}\\\text{における課税売上高}\end{array}\right) + \left(\begin{array}{c}\text{被合併法人の対応す}\\\text{る期間の課税売上高}\end{array}\right) > 1,000万円$$

●新設合併の合併事業年度の翌事業年度以後の場合の「合併法人の基準期間における課税売上高」は、年換算しない金額を用います。このときに、「基準期間における課税売上高」という用語は、基準期間が1年未満の法人は年換算した金額を指すよう定義付けられています（「9　小規模事業者の納税義務の免除」参照。）ので、必ず「年換算しない金額」の（　　）書きを記載しましょう。

●本書では、計算に算入すべき被合併法人の課税売上高を暗記しやすいよう、本文中では「被合併法人の対応する期間の課税売上高」と記載しています。

1	総　則	出題年度：H6・12・22他1回

13　会社分割があった場合の 納税義務の免除の特例

重要

応ch9

1　分割等❖❖❖

(1)　新設分割子法人

①　分割事業年度（法12①）

分割等があった場合において、次の要件を満たすときは、その新設分割子法人のその分割等があった日からその分割等があった日の属する事業年度終了の日までの間における課税資産の譲渡等（特定資産の譲渡等に該当するものを除く。以下同じ。）及び特定課税仕入れ（課税仕入れのうち特定仕入れに該当するものをいう。以下同じ。）については、納税義務は免除されない。

イ　新設分割親法人（2以上ある場合にはいずれか）の対応する期間の課税売上高（※1）が1,000万円を超えること

②　分割事業年度の翌事業年度（法12②）

新設分割子法人のその事業年度開始の日の1年前の日の前日からその事業年度開始の日の前日までの間に分割等があった場合において、次の要件を満たすときは、その新設分割子法人のその事業年度における課税資産の譲渡等及び特定課税仕入れについては、納税義務は免除されない。

イ　新設分割親法人（2以上ある場合にはいずれか）の対応する期間の課税売上高（※1）が1,000万円を超えること

③　分割事業年度の翌々事業年度以後（法12③）

新設分割子法人のその事業年度開始の日の1年前の日の前々日以前に分割等（新設分割親法人が2以上ある場合のものを除く。）があった場合において、次の要件を満たすときは、その新設分割子法人のその事業年度における課税資産の譲渡等及び特定課税仕入れについては、納税義務は免除されない。

イ　その事業年度の基準期間の末日において新設分割子法人が特定要件に該当すること

ロ　新設分割子法人の基準期間における課税売上高が1,000万円以下であること

ハ　新設分割子法人の基準期間における課税売上高として一定の金額とその新設分割親法人の対応する期間の課税売上高（※1）との合計額が1,000万円を超えること

> （※1）　新設分割子法人のその事業年度の基準期間に対応する期間における新設分割親法人の課税売上高として一定の金額をいう。

④　適用除外

　　この規定は、新設分割子法人が次のいずれかに該当する場合には**適用しない**。

　イ　課税事業者の選択の適用を受けていること

　ロ　特定期間における課税売上高が 1,000 万円を超えること

(2)　新設分割親法人✿

①　内容（法 12④）

　　新設分割親法人の**その事業年度開始の日の 1 年前の日の前々日以前に分割等**（新設分割親法人が 2 以上ある場合のものを除く。）が**あった場合**において、次の要件を満たすときは、その新設分割親法人のその**事業年度**における**課税資産の譲渡等及び特定課税仕入れ**については、**納税義務は免除されない**。

　イ　その事業年度の**基準期間の末日において新設分割子法人が特定要件に該当すること**

　ロ　新設分割親法人の基準期間における課税売上高が 1,000 万円以下であること

　ハ　新設分割親法人の基準期間における課税売上高とその新設分割子法人の対応する期間の課税売上高（※2）との合計額が 1,000 万円を超えること

> （※2）　新設分割親法人のその事業年度の基準期間に対応する期間における新設分割子法人の課税売上高として一定の金額をいう。

②　適用除外

　　この規定は、新設分割親法人が次のいずれかに該当する場合には**適用しない**。

　イ　課税事業者の選択の適用を受けていること

　ロ　特定期間における課税売上高が 1,000 万円を超えること

2　吸収分割 ❖❖

(1)　分割事業年度（法12⑤）

　　吸収分割があった場合において、次の要件を満たすときは、その分割承継法人のその吸収分割があった日からその吸収分割があった日の属する事業年度終了の日までの間における課税資産の譲渡等及び特定課税仕入れについては、納税義務は免除されない。

①　分割承継法人の基準期間における課税売上高が1,000万円以下であること

②　分割法人（2以上ある場合にはいずれか）の対応する期間の課税売上高（※1）が1,000万円を超えること

(2)　分割事業年度の翌事業年度（法12⑥）❖

　　分割承継法人のその事業年度開始の日の1年前の日の前日からその事業年度開始の日の前日までの間に吸収分割があった場合において、次の要件を満たすときは、その分割承継法人のその事業年度における課税資産の譲渡等及び特定課税仕入れについては、納税義務は免除されない。

①　分割承継法人の基準期間における課税売上高が1,000万円以下であること

②　分割法人（2以上ある場合にはいずれか）の対応する期間の課税売上高（※1）が1,000万円を超えること

> （※1）　分割承継法人のその事業年度の基準期間に対応する期間における分割法人の課税売上高として一定の金額をいう。

(3)　適用除外

　　この規定は、分割承継法人が次のいずれかに該当する場合には適用しない。

①　課税事業者の選択の適用を受けていること

②　特定期間における課税売上高が1,000万円を超えること

用語の意義

1　特定要件（法12③）

　　新設分割子法人の発行済株式又は出資の総数又は総額の50%超が新設分割親法人及びその特殊関係者の所有に属する場合等であることをいう。

2　分割等（法12⑦）

　　次のものをいう。

①　新設分割　　②　一定の現物出資　　③　一定の事後設立

Comment

《分割等》

●分割等の特例は、以下の判定を文章にしています。

  (1)　新設分割子法人

    〈分割事業年度及び翌事業年度〉

    新設分割親法人の対応する期間の課税売上高 ＞ 1,000万円

    〈翌々事業年度以後〉（※特定要件に該当）

$$\left(\begin{array}{l}\text{新設分割子法人の基準期}\\\text{間における課税売上高}\end{array}\right)+\left(\begin{array}{l}\text{新設分割親法人の対応}\\\text{する期間の課税売上高}\end{array}\right) ＞ 1,000万円$$

  (2)　新設分割親法人

    〈翌々事業年度以後〉（※特定要件に該当）

$$\left(\begin{array}{l}\text{新設分割親法人の基準期}\\\text{間における課税売上高}\end{array}\right)+\left(\begin{array}{l}\text{新設分割子法人の対応}\\\text{する期間の課税売上高}\end{array}\right) ＞ 1,000万円$$

●特定要件は、新設分割子法人及び新設分割親法人の翌々事業年度以後の判定をする場合のみ適用されます。

《吸収分割》

●吸収分割の特例は、以下の判定を文章にしています。

  〈分割事業年度及び翌事業年度〉

  分割法人の対応する期間の課税売上高 ＞ 1,000万円

●他の特例と異なり、吸収分割の特例は分割事業年度と翌事業年度のみの特例規定です。また、分割承継法人の売上高との合算はないことに注意しましょう。

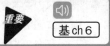

| 1 | 総 則 | 出題年度：H12・22・30 |

14 新設法人の納税義務の免除の特例

重要 基ch6

1 新設法人の納税義務の免除の特例（法12の2①）❖❖❖

新設法人のその基準期間がない事業年度に含まれる各課税期間（※1）における**課税資産の譲渡等**（特定資産の譲渡等に該当するものを除く。以下同じ）及び**特定課税仕入れ**（課税仕入れのうち特定仕入れに該当するものをいう。以下同じ。）については、**納税義務は免除されない**。

（※1）　課税事業者の選択又は前年等の課税売上高による特例、新設合併、分割等の特例の適用を受けている課税期間を除く。

2 調整対象固定資産の仕入れ等を行った場合（法12の2②）❖❖

新設法人が、その基準期間がない事業年度に含まれる**各課税期間**（簡易課税制度の適用を受ける課税期間を除く。）中に調整対象固定資産の仕入れ等を行った場合には、その新設法人のその**仕入れ等の日の属する課税期間からその課税期間の初日以後3年を経過する日の属する課税期間までの各課税期間**（※1）における課税資産の譲渡等及び特定課税仕入れについては、**納税義務は免除されない**。

（※1）　基準期間における課税売上高が1,000万円を超える課税期間、課税事業者の選択、前年等の課税売上高による特例、新設合併、分割等の特例の適用を受ける課税期間若しくは 1 の適用を受ける課税期間を除く。

3 外国法人の特例（法12の2③）❖❖

その事業年度の基準期間がある外国法人が、その**基準期間の末日の翌日以後に国内において課税資産の譲渡等に係る事業を開始した場合**には、その事業年度については、基準期間がないものとみなして 1 2 の規定を適用する。

4 新設法人（法12の2①）❖❖❖

その事業年度の**基準期間がない法人**（※1）のうち、その**事業年度開始の日における資本金の額又は出資の金額が1,000万円以上**である法人をいう。

（※1）　社会福祉法人等を除く。

〈理論必勝法〉理論の学習方法②
～税法用語を押さえよう～

税法の学習にあたり、もう１つ大切なものが、「税法用語」。

「資産」や「譲渡」は聞いたことがあっても「資産の譲渡等」と言われると…なんだか難しそう。

でも、この税法用語がしっかり押さえられているか？　という点は理論の解答を考える上でとても重要なことなのです。

用語を正確に書く必要性

ここで、理論の採点方法を確認しましょう。

理論の採点は、まず設問に対して、解答として挙げるべき規定がピックアップされます。ここで挙げた規定１つずつに配点が振られ、この配点が振られた部分を間違えずに記載できたら、配点された点数がもらえます。

間違えた場合には、ここから間違いにつき１点ずつ減点されます。

このように本試験の理論の配点は減点方式で採点されるのですが、このときに減点の対象となるのが用語の間違いなのです。

例を挙げましょう。

本試験の理論問題は 50 点配点で、通常は２題が出題されますので、１題が25 点配点だとします。

解答に必要な規定が５つあるとして、１つが５点満点です。このときに、その５点の部分の解答が書けていたとしても必要な用語を１つ間違えると４点、２つ間違えると３点、といったように点数が減っていきます。

ですから、全部書けている前提で、自己採点で５点取れていたと思っていても、実際には減点されていて３点しか取れていなかったということが起こり得るのです。

どこまで書くの？

用語は「１字１句完璧に」が鉄則です。

法律の言葉はそれぞれ定義がありますから、「似たような言葉」は「間違った言葉」です。ですから、例えば「資産の譲渡等」を「資産の譲渡」と書いてしまったら文章の持つ意味が変わってしまいます。そのため、理論を覚える際はこの用語を正確に押さえることが重要なのです。

15 特定新規設立法人の納税義務の免除の特例

重要 ▶

基 ch 6

1　特定新規設立法人の納税義務の免除の特例（法12の3①）❖❖❖

　特定新規設立法人の基準期間がない事業年度に含まれる各課税期間（※1）における**課税資産の譲渡等**（特定資産の譲渡等に該当するものを除く。以下同じ。）及び**特定課税仕入れ**（課税仕入れのうち特定仕入れに該当するものをいう。以下同じ。）については、**納税義務は免除されない。**

> （※1）　課税事業者の選択又は前年等の課税売上高による特例、新設合併、分割等の特例、新設法人が調整対象固定資産を購入した場合の特例の適用を受けている課税期間を除く。

2　特定新規設立法人（法12の3①）❖❖❖

新規設立法人のうち、次の要件をいずれも満たすものをいう。

⑴　その基準期間がない事業年度開始の日（以下「新設開始日」という。）において特定要件（※1）に該当すること。

⑵　特定要件に該当する旨の判定の基礎となった他の者及びその他の者と一定の特殊な関係にある法人のうちいずれかの者についてその新規設立法人の新設開始日の属する事業年度の基準期間相当期間における課税売上高として一定の方法により計算した金額が5億円を超える場合又はその基準期間相当期間における総収入金額として一定の方法により計算した金額が50億円を超える場合。

> （※1）　他の者により新規設立法人の発行済株式等の50％超が直接又は間接に保有される場合その他の他の者により新規設立法人が支配される場合として一定の場合をいう。

3　調整対象固定資産の仕入れ等を行った場合（法12の3③）❖❖

　特定新規設立法人が、その**基準期間がない事業年度に含まれる各課税期間**（簡易課税制度の適用を受ける課税期間を除く。）中に調整対象固定資産の仕入れ等を行った場合には、その特定新規設立法人のその**仕入れ等の日の属する課税期間からその課税期間の初日以後3年を経過する日の属する課税期間までの各課税期間**（※1）における課税資産の譲渡等及び特定課税仕入れについては、**納税義務は免除されない。**

4　他の者と特殊な関係にある法人を解散させた場合の特例（法 12 の 3 ②）❖

解散法人（次の要件をいずれも満たすものをいう。）は上記 ② の特殊な関係にある法人とみなして、① の規定を適用する。

⑴　新規設立法人が、新設開始日において特定要件に該当していたこと

⑵　解散法人が ② に規定する他の者と特殊な関係にある法人であったもの

⑶　解散法人がその新規設立法人の設立の日前 1 年以内又はその新設開始日前 1 年以内に解散した法人であるもの

⑷　解散法人がその解散した日において ② に規定する他の者と特殊な関係にある法人に該当していたもの（新設開始日においてなおその特殊な関係にある法人を除く。）

5　外国法人の特例（法 12 の 3 ⑤）❖❖

その事業年度の基準期間がある外国法人が、その基準期間の末日の翌日以後に国内において課税資産の譲渡等に係る事業を開始した場合には、その事業年度については、**基準期間がないものとみなして** ① から ④ **の規定を適用**する。

⊞ ⊞ の意義

新規設立法人

その事業年度の基準期間がない法人のうち、新設法人及び社会福祉法人以外のものをいう。

Comment

● この規定は、新設法人に関する他の特例判定がすべて当てはまらない場合に適用します。① 及び ③ の（※）の部分がその適用関係を表している部分です。

● 納税義務の適用関係についての設問の場合には、（※）の部分の説明まで含めて解答する必要があります。

● ③ の規定は「14 新設法人の納税義務の免除の特例」の準用規定であることから、14 ② の「新設法人」を「特定新規設立法人」に置き換えているだけですので、両者を併せて覚えておきましょう。

1 総 則　　　　　　　　　　　　　　出題年度：H30

16 高額特定資産を取得した場合等の 納税義務の免除の特例

1 高額特定資産を取得した場合の納税義務の免除の特例（法 12 の 4 ①）❖❖

　事業者（免税事業者を除く。）が、**簡易課税制度の適用を受けない課税期間中に国内における高額特定資産の仕入れ等を行った場合**（自己建設高額特定資産にあっては、自己建設高額特定資産の仕入れを行った場合）には、**高額特定資産の仕入れ等の日**（次の高額特定資産の区分に応じそれぞれに定める日をいう。）の属する課税期間の翌課税期間からその高額特定資産の仕入れ等の日の属する課税期間（自己建設高額特定資産にあっては、その建設等が完了した日の属する課税期間）**の初日以後 3 年を経過する日の属する課税期間までの各課税期間**（※1）における**課税資産の譲渡等**（特定資産の譲渡等に該当するものを除く。以下同じ。）及び**特定課税仕入れ**（課税仕入れのうち特定仕入れに該当するものをいう。以下同じ。）については、**納税義務は免除されない。**

(1) **高額特定資産**（(2)を除く。）

　　課税仕入れ等を行った日

(2) **自己建設高額特定資産**

　　自己建設高額特定資産の仕入れを行った場合に該当することとなった日

　（※1）　その基準期間における課税売上高が 1,000 万円を超える課税期間及び課税事業者の選択又は前年等の課税売上高による特例、一定の相続、一定の合併、一定の分割等、新設法人、特定新規設立法人の特例の適用を受けている課税期間を除く。

2 棚卸資産の調整措置の適用を受けることとなった場合の特例（法 12 の 4 ②）❖

　事業者が、**高額特定資産である棚卸資産若しくは課税貨物又は調整対象自己建設高額資産について納税義務が免除されないこととなった場合の棚卸資産に係る消費税額の調整の規定の適用を受けた場合**には、この規定の適用を受けた課税期間の翌課税期間からこの規定の**適用を受けた課税期間**（※1）の初日以後 3 年を経過する日の属する課税期間までの各課税期間（※2）における課税資産の譲渡等及び特定課税仕入れについては、納税義務は免除されない。

　（※1）　納税義務の免除を受けないこととなった場合に該当することとなった日の前日までに建設等が完了していない調整対象自己建設高額資産にあっては、その建設等が完了した日の属する課税期間

　（※2）　その基準期間における課税売上高が 1,000 万円を超える課税期間及び課税事業者の選択又は前年等の課税売上高による特例、一定の相続、一定の合併、一定の分割等、新設法人、特定新規設立法人の特例並びに 1 の適用を受けている課税期間を除く。

3　金地金等の仕入れ等を行った場合の特例（法 12 の 4 ③）❖

　事業者（免税事業者を除く。）が、簡易課税制度の適用を受けない課税期間中に国内における金若しくは白金の地金その他これに類する資産として一定の資産（以下「金地金等」という。）の課税仕入れ又は金地金等に該当する課税貨物の保税地域からの引取り（その課税期間において納税義務の免除を受けないこととなった場合等の棚卸資産に係る消費税額の調整の規定の適用を受ける棚卸資産に係る課税仕入れ又は保税地域からの引取りを含む。以下「金地金等の仕入れ等」という。）を行った場合において、その課税期間中のその金地金等の仕入れ等の金額の合計額が高額である場合として一定の場合に該当するときは、その金地金等の仕入れ等を行った課税期間の翌課税期間からその金地金等の仕入れ等を行った課税期間の初日以後３年を経過する日の属する課税期間までの各課税期間（※1）における課税資産の譲渡等及び特定課税仕入れについては、**納税義務は免除されない**。

> （※1）　その基準期間における課税売上高が 1,000 万円を超える課税期間及び課税事業者の選択又は前年等の課税売上高による特例、一定の相続、一定の合併、一定の分割等、新設法人、特定新規設立法人の特例並びに 1 、 2 の適用を受けている課税期間を除く。

4　意義（法 12 の 4 ①②、令 25 の 5 ①②）❖❖

(1)　高額特定資産

　棚卸資産及び調整対象固定資産のうち、**1 の取引の単位に係る**課税仕入れに係る支払対価の額の 110 分 100 に相当する金額、特定課税仕入れに係る支払対価の額又は保税地域から引き取られる課税貨物の課税標準である**金額が 1,000 万円以上のもの**をいう。

(2)　自己建設高額特定資産

　その建設等に要した課税仕入れに係る支払対価の額の 110 分の 100 に相当する金額、特定課税仕入れに係る支払対価の額及び保税地域から引き取られる課税貨物の課税標準である金額（その**建設等のために要した原材料費及び経費に係るもの**に限り、納税義務が免除されている課税期間又は簡易課税制度の適用を受ける課税期間中に国内において行った課税仕入れ及び保税地域から引き取った課税貨物に係るものを除く。）の**累計額が 1,000 万円以上のもの**をいう。

(3)　調整対象自己建設高額資産

　他の者との契約に基づき、若しくはその事業者の**棚卸資産として自ら建設等をした棚卸資産**（その棚卸資産の建設等に要した課税仕入れに係る支払対価の額の 110 分の 100 に相当する金額、特定課税仕入れに係る支払対価の額及び保税地域から引き取られる課税貨物の課税標準である金額（その建設等のために要した原材料費及び経費に係るものに限る。）の累計額が 1,000 万円以上となったものに限る。）

基 ch 6
応 ch 16

1　総　則

17　資産の譲渡等又は特定仕入れを行った者の実質判定及び信託財産に係る帰属

1　資産の譲渡等を行った者の実質判定（法 13①）

　法律上資産の譲渡等を行ったとみられる者が単なる名義人であって、その資産の譲渡等に係る対価を享受せず、その者以外の者がその対価を享受する場合には、その資産の譲渡等は、その対価を享受する者が行ったものとする。

2　特定仕入れを行った者の実質判定（法 13②）

　法律上特定仕入れを行ったとみられる者が単なる名義人であって、その特定仕入れに係る対価の支払をせず、その者以外の者がその特定仕入れに係る対価を支払うべき者である場合には、その特定仕入れは、その対価を支払うべき者が行ったものとする。

3　信託財産に係る資産の譲渡等の帰属（法 14①）

　信託の受益者はその信託の信託財産に属する資産を有するものとみなし、かつ、その信託財産に係る資産等取引はその受益者の資産等取引とみなす。

　ただし、集団投資信託等の信託財産に属する資産及び資産等取引については、この限りでない。

用語の意義

資産等取引（法 14①）
　資産の譲渡等、課税仕入れ及び課税貨物の保税地域からの引取りをいう。

Comment
- ●　1 の規定は、名義上の納税義務者と実際の納税義務者が異なる場合に、「誰を納税義務者と考えるか？」という点に関する規定であり、「9 納税義務者」などで規定される「事業者」の捉え方に関するものです。
- ●　3 は、1 を踏まえて、信託の場合であっても受益者（事実上の資産の譲渡等を行う者）の行った取引とみなすことを規定しています。
　なお、集団投資信託等は、法人税法においても信託そのものが納税義務者となることから、消費税もこれにならい、受益者個人ではなく、信託そのものを納税義務者としています。（詳しくは次の 18 を参照してください。）

〈理論必勝法〉理論の学習方法③
～文章の要旨を押さえよう～

消費税の規定は、長くて難解な文章が多いのが1つの特徴です。

1文が何行にも渡り、同じような言葉が何度も何度も繰り返し出てきたりと、理解するだけでも一苦労。これを1字1句間違えずに覚えるということは、至難の業です。

「1字1句間違わずに書けないとダメ？」

どこまで正確に押さえる必要があるのか？　そのヒントを得るために、本試験の出題パターンを見ていきましょう。

消費税の理論の問題は主に3パターンあります。

① 条文の内容をそのまま解答するもの

　　過去の本試験では、こういった問題の比重が多かったのですが、最近の試験問題では、簡単な「用語の意義」などで出題されています。

② 事例などの設例に対する概要説明と条文の内容を組み合わせて解答するもの

　　最近の本試験問題で多いパターンです。ある規定の内容を押さえられているのかを問う際に、規定自体が想定している状況を問題文として出題し、適用の可否などを答えたうえで、条文を使った説明を記述するといった問題です。

③ 事例などの設例に対する概要説明を要約して解答するもの

　　4～5個の様々な事例に対し、それぞれの取扱いを述べる問題です。

この出題傾向から検証すると、正確に書ける必要があるのは①だけで、③に関しては、正確な用語が使えて的を射た解答となっていれば、条文どおりの文章である必要はありません。

いちばん難しいのが②のパターンで、これに関してはある程度暗記したもののアウトプットが必要です。しかし、このパターンの問題は、解答範囲が広く、通常時間内ではすべて書き切ることができません。しかし、用語のところでも述べたように解答範囲として必要な規定ごとに配点が振られているため、書けない部分があると、点数を大きく落としてしまいます。重要なのは、要約してでも必要な範囲をすべて挙げるということです。したがって、覚える際も要旨を正確に押さえることが重要なのです。

要旨とは、「理論の学習方法①」で確認した文章の骨格となる構成部分です。主語、適用要件、結論がしっかり書けていれば大きく減点されることはありませんから、ここはしっかり押さえます。重要な部分とそうでない部分のメリハリを付けて押さえていきましょう。

18　法人課税信託の受託者に関する　消費税法の適用

応 ch16

1　事業単位の特例（法15①〜③）

　法人課税信託の受託者は、各法人課税信託の信託資産等及び固有資産等ごとに、それぞれ別の者とみなして、消費税法（※1）の規定を適用する。

　この場合において、**各法人課税信託の信託資産等及び固有資産等は、そのみなされた各別の者にそれぞれ帰属する**ものとする。

　個人事業者が受託事業者である場合には、その受託事業者は、法人とみなして、消費税法の規定を適用する。

（※1）　納税義務者の原則その他一定の規定を除く。

2　納税義務の判定等

(1)　固有業者の基準期間における課税売上高（法15④）

　固有事業者のその課税期間に係る基準期間における課税売上高は、原則にかかわらず、次の金額の合計額とする。

①　その固有事業者のその課税期間の基準期間における課税売上高

②　受託事業者のその固有事業者の基準期間に対応する期間における課税売上高として一定の金額の合計額

(2)　受託事業者の基準期間における課税売上高（法15⑤）

　受託事業者のその課税期間に係る基準期間における課税売上高は、原則にかかわらず、その課税期間の初日の属する固有事業者の課税期間の基準期間における課税売上高とする。

(3)　受託事業者の納税義務の免除の特例（法15⑥）

　受託事業者のその課税期間の初日において、固有事業者が、その初日の属するその固有事業者の課税期間における課税資産の譲渡等（特定資産の譲渡等に該当するものを除く。以下同じ。）及び特定課税仕入れ（課税仕入れのうち特定仕入れに該当するものをいう。以下同じ。）につき納税義務の免除の特例により課税事業者に該当する場合には、その受託事業者のその初日の属する課税期間における課税資産の譲渡等及び特定課税仕入れについては、納税義務は免除されない。

(4)　課税売上高の金額（法15⑦）

　固有事業者又は受託事業者に係る次の課税売上高については、(1)又は(2)に準じて一定の方法により計算した金額とする。

①　特定期間における課税売上高

② 新設合併があった場合の合併法人の納税義務の免除の特例における基準期間における課税売上高

③ 仕入れに係る消費税額の控除の計算における課税期間における課税売上高

3 簡易課税制度の適用に関する特例

⑴ 受託事業者の簡易課税制度の適用の特例（法15⑧）

受託事業者のその課税期間の初日において、固有事業者が、その初日の属する課税期間につき簡易課税制度の適用を受ける事業者である場合に限り、その受託事業者のその初日の属する課税期間については、簡易課税制度を適用する。

⑵ 災害等があった場合の特例（法15⑨）

⑴の固有事業者が、その初日の属する課税期間につき災害等があった場合の簡易課税制度の届出の特例の適用を受けた場合における⑴の適用については、その初日においてその固有事業者が簡易課税制度の適用を受ける事業者であったものとみなし、又は簡易課税制度の適用を受ける事業者でなかったものとみなす。

4 受託事業者の中間申告（法15⑩）

受託事業者の中間申告については、信託の併合は合併とみなして適用する。

5 受託事業者に対する適用除外（法15⑪）

受託事業者については、納税義務の免除の特例、簡易課税制度選択不適用に関する届出、災害等があった場合の簡易課税制度の届出の特例及び小規模事業者の納税義務の免除が適用されなくなった場合等の届出の規定は適用しない。

用語の意義

1 **信託資産等（法15①）**
　信託財産に属する資産及びその信託財産に係る資産等取引をいう。

2 **固有資産等（法15①）**
　法人課税信託の信託資産等以外の資産及び資産等取引をいう。

3 **受託事業者（法15③）**
　法人課税信託に係る信託資産等が帰属する受託者をいう。

4 **固有事業者（法15④）**
　法人課税信託に係る固有資産等が帰属する受託者をいう。

Comment
●法人課税信託の特例は、納税義務の主体は受託事業者と固有事業者で分かれますが、各種事業規模の判定が必要な部分は合計で判定するという趣旨の規定です。

| 1 | 総　則 |

19　リース譲渡に係る
資産の譲渡等の時期の特例　　　応 ch12

1　リース譲渡を行った課税期間の取扱い（法16①）✤

　事業者がリース譲渡を行った場合において、そのリース譲渡に係る対価の額につき、**所得税法又は法人税法に規定する延払基準の方法により経理**することとしているときは、そのリース譲渡をした日の属する課税期間においてその**支払期日が到来しないもの**（※1）に係る部分については、その課税期間において資産の譲渡等を行わなかったものとみなして、その部分に係る対価の額を、その**リース譲渡**に係る対価の額から控除することができる。

（※1）　その課税期間において支払を受けたものを除く。

2　翌課税期間以後の取扱い✤

(1)　原　則（法16②）

　リース譲渡をした日の属する課税期間において資産の譲渡等を行わなかったものとみなされた部分は、その賦払金の支払期日の属する各課税期間においてその部分の資産の譲渡等を行ったものとみなす。

(2)　例　外

　①　延払基準の方法により経理しなかった場合（令32①）

　　延払基準の適用を受けている事業者が、**延払基準の方法により経理しなかった場合**には、次のそれぞれの課税期間の初日以後に支払期日が到来するもの（※1）に係る部分については、これらの課税期間において資産の譲渡等を行ったものとみなす。

　　イ　所得税法に規定する経理しなかった年の12月31日の属する課税期間

　　ロ　法人税法に規定する経理しなかった決算に係る事業年度終了の日の属する課税期間

　②　延払基準の適用を受けないこととした場合（令32③）

　　延払基準の適用を受けている事業者が**その適用を受けないこととした場合**には、その受けないこととした課税期間の初日以後に支払期日が到来するもの（※1）に係る部分については、その課税期間において資産の譲渡等を行ったものとみなす。

　③　納税義務の免除を受けることとなった場合等（令33）

　　延払基準の適用を受けている事業者が、次のいずれかに該当することとなった場合には、その該当することとなった課税期間の初日以後に支払期日が到来するもの（※1）に係る部分については、その課税期間の初日の前日において資産の譲渡等を行ったものとみなす。

イ　課税事業者が免税事業者となることとなった場合
ロ　免税事業者が課税事業者となることとなった場合

> （※1）　既に支払を受けたものを除く。

3 付記事項（法16③）✢

この規定の適用を受けようとする事業者は、**確定申告書にその旨を付記する**ものとする。

4 相続、合併、分割があった場合（法16④）

相続、合併、分割があった場合には、一定の時期に資産の譲渡等を行ったものとみなして、この特例を適用する。

5 リース延払基準の場合（令32の2）

事業者がリース譲渡を行った場合において、そのリース譲渡に係る対価の額につき、所得税法又は法人税法に規定するリース延払基準の方法により経理した場合には、上記 1 から 4 に準じて取扱う。

Comment
- ●資産の譲渡等の時期の特例に関する規定は、所得税法又は法人税法に準じた取扱いと消費税法特有の取扱いがあります。したがって、規定を書く際は「事業年度」と「課税期間」の使い分けに注意しましょう。
- ●「資産の譲渡等」に関する計上時期の規定であるため、適用対象者は課税事業者に限定されません。（免税事業者も含まれます。）
- ●消費税法での規定の位置付けは、要件を満たした場合の「任意適用」ですので、文末の「できる」を意識して書きましょう。
- ●原則的には既に計上されているべき収入につき、「なかったもの」としているため「みなし規定」です。「みなす」という言葉の使い方に注意しましょう。

20　工事の請負に係る 資産の譲渡等の時期の特例　応ch12

1　引渡し課税期間の直前課税期間までの取扱い（法17①②）❖

(1)　長期大規模工事の場合

　　事業者が**長期大規模工事の請負に係る契約に基づき資産の譲渡等を行う場合**には、その目的物のうち所得税法又は法人税法に規定する工事進行基準の方法により計算した収入金額又は収益の額に係る部分については、次の(3)に掲げるいずれかの課税期間において、資産の譲渡等を行ったものとすることができる。

(2)　工事の場合

　　事業者が**工事の請負に係る契約に基づき資産の譲渡等を行う場合**において、その対価の額につき所得税法又は法人税法に規定する工事進行基準の方法により経理することとしているときは、その目的物のうちその方法により経理した収入金額又は収益の額に係る部分については、次の(3)に掲げるいずれかの課税期間において、資産の譲渡等を行ったものとすることができる。

(3)　計上時期

　　① 個人事業者

　　　　工事進行基準により、その**収入金額が総収入金額に算入されたそれぞれの年の12月31日の属する課税期間**

　　② 法　人

　　　　工事進行基準により、その**収益の額が益金の額に算入されたそれぞれの事業年度終了の日の属する課税期間**

2　引渡し課税期間の取扱い（法17③）❖

　　1の規定の適用を受けた事業者が特定工事（※1）の目的物の引渡しを行った場合には、その**着手の日の属する課税期間からその引渡しの日の属する課税期間の直前の課税期間までの各課税期間において資産の譲渡等を行ったものとされた部分**については、同日の属する課税期間においては**資産の譲渡等がなかったものとして**、その部分に係る対価の額の合計額を、その**特定工事の請負に係る対価の額から控除する**。

（※1）　長期大規模工事又は工事をいう。

3 　工事進行基準が適用できない場合（法17②）❖

　工事の場合において、所得税法又は法人税法に規定する工事進行基準の方法により経理しなかった場合には、次のそれぞれに掲げる課税期間以後の課税期間については、工事進行基準を適用することはできない。

(1)　個人事業者

　　経理しなかった年の12月31日の属する課税期間

(2)　法　人

　　経理しなかった決算に係る事業年度終了の日の属する課税期間

4 　付記事項（法17④）❖

　この規定の適用を受けようとする事業者は、**確定申告書にその旨を付記するもの**とする。

5 　相続、合併、分割があった場合（法17⑤、令38①②）

　1 の適用を受ける個人事業者が死亡した場合において、その事業を承継した相続人がその特定工事の目的物の引渡しを行ったときは、その特定工事の請負に係る資産の譲渡等のうちその個人事業者が資産の譲渡等を行ったものとされた部分については、その相続人が資産の譲渡等を行ったものとみなして、2 の規定を適用する。なお、合併、分割の場合にもこれを準用する。

Comment

● 工事進行基準は、売上げが確定していない工事に係る売上げを計上する規定であるため、「決算整理仕訳」で売上計上します。そのため、計上時期に関する規定は、すべて決算日の日付となるように規定されています。

● 延払基準と異なり、売上げが確定していないため、「みなし規定」には該当しません。「みなす」という表現は入らないことに注意しましょう。

● 消費税法での規定の位置付けは、要件を満たした場合の「任意適用」ですので、文末の「できる」を意識して書きましょう。

1 　総　則

21 小規模事業者に係る
　　資産の譲渡等の時期等の特例 　応 ch12

1 　現金基準（法18①）✢

　個人事業者で、所得税法に規定する現金基準による所得計算の特例の適用を受ける者の資産の譲渡等及び課税仕入れを行った時期は、その資産の譲渡等に係る対価の額を収入した日及びその課税仕入れに係る費用の額を支出した日とするこができる。

2 　付記事項（法18②）✢

　この規定の適用を受けようとする事業者は、確定申告書にその旨を付記するものとする。

3 　適用を受けないこととなった場合（法18③、令40①②、規12）✢

⑴　適用を受けないこととなった場合の取り扱い

　次の残額については、この規定の適用を受けないこととなった課税期間の初日の前日において、その個人事業者が資産の譲渡等、課税仕入れ（特定課税仕入れに該当するものを除く。以下同じ。）及び特定課税仕入れを行ったものとみなす。

① みなし資産の譲渡等

　その適用を受けないこととなった課税期間の初日の前日における資産の譲渡等に係る売掛金等の額の合計額からその適用を受けることとなった課税期間の初日の前日における売掛金等の額の合計額を控除した残額

　なお、前受金については、これに準じて取り扱う。

② みなし課税仕入れ

　その適用を受けないこととなった課税期間の初日の前日における課税仕入れに係る買掛金等の額の合計額からその適用を受けることとなった課税期間の初日の前日における買掛金等の額の合計額を控除した残額

　なお、前払金については、これに準じて取り扱う。

③ みなし特定課税仕入れ

　②において「課税仕入れ」となっているところを「特定課税仕入れ」と読み替えて準用する。

⑵　控除しきれない場合

　⑴の場合において控除しきれない金額が生じた場合については、一定の方法により計算する。

Comment

● 現金基準の適用対象となる「小規模事業者」は、所得税法に規定する概念です。納税義務の免除などで出てくる小規模事業者とは異なります。

● 他の2つの特例と異なり、現金基準の特例は、資産の譲渡等だけでなく課税仕入れも対象となります。タイトルの「時期等」は、このことを意味しています。

● 「残額」は「残りの金額」という意味ですので、プラスからゼロまでの概念です。したがって、③の金額がマイナスとなることはありません。「金額」と明確に書き分けましょう

● 控除しきれない場合の取扱いとは、具体的には控除しきれない金額を、「売掛金等」の場合には「売上げに係る対価の返還等の金額」、「買掛金等」の場合には「控除過大調整税額」の対象金額とそれぞれみなして計算します。

| 1 | 総　則 | 出題年度：R5 |

22　課税期間

重要　▶　応 Ch 5

1　原　則✤✤

(1)　個人事業者（法19①一）
　　1月1日から12月31日までの期間
(2)　法　人（法19①二）
　　事業年度

2　課税期間の特例の選択✤✤

(1)　区分される期間（法19①三、三の二、四、四の二）
　　課税期間を短縮又は変更することについて、その納税地の所轄税務署長に課税期間特例選択・変更届出書を提出した場合
　① 　個人事業者
　　イ　3月ごとの期間に短縮又は変更する場合
　　　1月1日以後3月ごとに区分した各期間
　　ロ　1月ごとの期間に短縮又は変更する場合
　　　1月1日以後1月ごとに区分した各期間
　② 　法　人
　　イ　その事業年度が3月を超える法人が3月ごとの期間に短縮又は変更する場合
　　　その**事業年度をその開始の日以後3月ごとに区分した各期間**（最後に3月未満の期間を生じたときは、その3月未満の期間）
　　ロ　その事業年度が1月を超える法人が1月ごとの期間に短縮又は変更する場合
　　　その**事業年度をその開始の日以後1月ごとに区分した各期間**（最後に1月未満の期間を生じたときは、その1月未満の期間）
(2)　届出の効力
　　課税期間特例選択・変更届出書の効力は、その**提出日の属する期間の翌期間**（※1）**の初日以後生ずる**ものとする。
　　この場合において、原則の課税期間開始の日又は提出日の属する(1)の期間開始の日から届出の効力が生じた日の前日までの期間を一の課税期間とみなす。

（※1）　一定の期間である場合にはその期間

3　選択不適用の届出 ♣♣

⑴　不適用の届出（法19③）

　課税期間特例選択・変更届出書を提出した事業者は、課税期間の特例の適用を受けることをやめようとするとき又は事業を廃止したときは、課税期間特例選択不適用届出書をその納税地の所轄税務署長に提出しなければならない。

⑵　不適用の届出の効力（法19④）

　課税期間特例選択不適用届出書の提出があったときは、その提出日の属する課税期間の末日の翌日以後は、課税期間の特例の届出は、その効力を失う。

　この場合において、その翌日から個人事業者にあっては、提出日の属する年の 12 月 31 日まで、法人にあっては**提出日の属する事業年度終了の日までの期間をそれぞれ一の課税期間とみなす。**

4　提出の制限（法19⑤）♣♣

　課税期間特例選択・変更届出書を提出した事業者は、事業を廃止した場合を除き、その届出の効力が生ずる日から２年を経過する日の属する期間の初日（※1）以後でなければ、課税期間特例選択・変更届出書（変更に係るものに限る。）又は課税期間特例選択不適用届出書を提出することができない。

> （※1）　変更の場合には、一定の日

5　一定の期間（令41①）♣

　一定の期間とは、次の期間とする。
⑴　事業者が国内において課税資産の譲渡等（特定資産の譲渡等に該当するものを除く。）に係る事業を開始した日の属する期間
⑵　個人事業者が相続により課税期間の特例の適用を受けていた被相続人の事業を承継した日の属する期間
⑶　法人が吸収合併により課税期間の特例の適用を受けていた被合併法人の事業を承継した日の属する期間
⑷　法人が吸収分割により課税期間の特例の適用を受けていた分割法人の事業を承継した日の属する期間

Comment
- 課税期間の規定は、文章だけでは捉えづらい規定ですので、教科書で該当するケースのタイムテーブルを確認しながら内容を押さえましょう。
- 「課税期間特例選択・変更届出書」は、「選択届出書」と「変更届出書」の２つの機能がありますので、条文がどちらを想定しているかを意識しながら押さえましょう。

| 1 | 総　則 | 出題年度：H10 |

23　納税地

重要　◀ 応Ch 6

応Ch 6

1　国内取引 ❖❖

(1)　個人事業者の納税地

①　原　則（法 20）

次の区分に応じ、それぞれに定める場所とする。

イ　国内に住所を有する場合　その**住所地**

ロ　国内に住所を有せず、居所を有する場合　その**居所地**

ハ　国内に住所及び居所を有せず、国内に事務所等を有する場合

その**事務所等の所在地**（2以上ある場合には、主たるものの所在地）

ニ　イ〜ハに掲げる場合以外の場合　一定の場所

②　特　例（法 21）

イ　所得税法の納税地の特例の規定の適用を受ける者

次の区分に応じそれぞれに定める場所とする。

(イ)　国内に住所のほか居所を有する場合　その**居所地**

(ロ)　国内に住所又は居所を有し、かつ、これら以外の場所に事務所等を有する

場合

その**事務所等の所在地**（2以上ある場合には、主たるものの所在地）

ロ　死亡した場合

その死亡当時におけるその死亡した者の納税地

(2)　**法人の納税地**（法 22）

次の区分に応じ、それぞれに定める場所とする。

①　**内国法人**である場合　その**本店又は主たる事務所の所在地**

②　**外国法人**で国内に事務所等を有する場合

その**事務所等の所在地**（2以上ある場合には、主たるものの所在地）

③　上記以外の場合　一定の場所

(3) 納税地の指定（法 23）

① 指 定

(1)又は(2)の納税地が事業者の行う**資産の譲渡等及び特定仕入れの状況からみて**納税地として不適当であると認められる場合には、**所轄国税局長又は国税庁長官は納税地を指定することができる。**

② 通 知

所轄国税局長又は国税庁長官は、納税地を指定したときは、その事業者に対し、**書面によりその旨を通知する。**

(4) 納税地指定の処分の取消しがあった場合の申告等の効力（法 24）

納税地指定の処分の取消しがあった場合においても、その**取消しの対象となった納税地における申告、納付等の効力には影響を及ぼさない。**

(5) **法人の納税地の異動の届出（法 25）**

法人は、消費税の納税地に異動があった場合には、遅滞なく、その**異動前の納税地の所轄税務署長に消費税異動届出書**によりその旨を届け出なければならない。

---

2 輸入取引（法 26）✤✤

その**保税地域の所在地**とする。

---

3 輸出物品販売場購入物品を譲渡した場合等（法 27）✤

次の区分に応じ、それぞれの場所とする。

(1) **出国する日までに輸出しない場合**

その出国に係る出港地

(2) **免税購入対象者でなくなる場合**

そのなくなる時におけるその者の住所地又は居所地

(3) **その物品が国内において譲渡又は譲受けがされた場合**

その譲渡又は譲受けの時におけるその物品の所在場所

Comment

●個人事業者の納税地に関しては、選択の規定（特例）がありますが、法人の納税地は選択できません。

●納税地の指定は、税務署の管轄の異動が伴うため、税務署よりも上の機関でないと行えません。

2	課税標準及び税率	出題年度：H29・R2・5他3回

1　課税標準及び税率

重要　基 ch 5

1　国内取引 ❖❖❖

(1)　課税資産の譲渡等に係る課税標準（法 28①、令 45①）

　　課税資産の譲渡等（特定資産の譲渡等に該当するものを除く。以下同じ。）に係る消費税の課税標準は、**課税資産の譲渡等の対価の額**とする。

　　対価の額とは、対価として**収受し、又は収受すべき一切の金銭又は金銭以外の物若しくは権利その他経済的な利益の額**とし、課税資産の譲渡等につき課されるべき消費税額及び地方消費税額を含まないものとする。

　　なお、金銭以外の物又は権利その他経済的な利益の額は、その物若しくは権利を取得し、又はその利益を享受する時における価額とする。

(2)　低額譲渡（法 28①）

　　法人が資産をその役員（※1）に譲渡した場合において、その**対価の額がその譲渡の時におけるその資産の価額に比し著しく低いときは、その価額**に相当する金額を対価の額とみなす。

(3)　特定課税仕入れに係る課税標準（法 28②）

　　特定課税仕入れに係る消費税の課税標準は、**特定課税仕入れに係る支払対価の額**（対価として支払い、又は支払うべき一切の金銭又は金銭以外の物若しくは権利その他経済的な利益の額をいう。）とする。

(4)　資産の譲渡とみなす行為（法 28③）

　① 　個人事業者が棚卸資産等の事業用資産を**家事のために消費し、又は使用した場合**におけるその消費又は使用については、その**消費又は使用の時におけるその資産の価額**に相当する金額を対価の額とみなす。

　② 　**法人が資産をその役員（※1）に対して贈与した場合**におけるその贈与については、その**贈与の時におけるその資産の価額**に相当する金額を対価の額とみなす。

　（※1）　法人税法に規定する役員をいう。

(5)　資産の譲渡等に類する行為（令 45②）

　　次の行為に係る対価の額は、それぞれに掲げる金額とする。

　① 　**代物弁済による資産の譲渡**

　　　その代物弁済により**消滅する債務の額**（受け取った金銭の額を加算した金額）に相当する金額

　② 　**負担付き贈与による資産の譲渡**

　　　その負担付き贈与に係る**負担の価額**に相当する金額

　③ 　**金銭以外の資産の出資**

　　　その出資により**取得する株式等の取得時の価額**に相当する金額

④　資産の交換

　　その交換により**取得する資産の取得時の価額**（交換差金を取得する場合はその交換差金の額を加算した金額とし、交換差金を支払う場合はその交換差金の額を控除した金額）に相当する金額

⑤　特定受益証券発行信託又は法人課税信託の委託者が金銭以外の資産の信託をした場合におけるその資産の移転等

　　その**資産の移転等の時の価額**に相当する金額

⑹　**一括譲渡**（令45③）

①　譲渡対価の額

　　事業者が次に掲げる資産の区分のうち**異なる2以上の区分の資産を同一の者に対して同時に譲渡した場合**において、これらの資産の譲渡の対価の額が次に掲げる資産ごとに合理的に区分されていないときは、次の算式により譲渡対価の額を計算する。

イ　資産の区分

　(a)　**課税資産の譲渡等**（軽減対象課税資産の譲渡等に該当するものを除く。以下 ③ において同じ。）**に係る資産**

　(b)　**軽減対象課税資産の譲渡等に係る資産**

　(c)　**非課税資産の譲渡等に係る資産**

ロ　譲渡対価の額

　(a)　イ(a)に掲げる資産の譲渡対価の額

$$一括譲渡対価の額 \times \frac{イ(a)の資産の価額}{イ(a)〜イ(c)の資産の価額の合計額}$$

　(b)　イ(b)に掲げる資産の譲渡対価の額

$$一括譲渡対価の額 \times \frac{イ(b)の資産の価額}{イ(a)〜イ(c)の資産の価額の合計額}$$

②　**課税標準**

イ　①イ(a)に掲げる資産の譲渡に係る課税標準

　　①ロ(a)で計算した譲渡対価の額（その対価の額に**消費税額等が含まれる場合**には、その対価の額に**110分の100**を乗じて算出した金額）

ロ　①イ(b)に掲げる資産の譲渡に係る課税標準

　　①ロ(b)で計算した譲渡対価の額（その対価の額に**消費税額等が含まれる場合**には、その対価の額に**108分の100**を乗じて算出した金額）

2　輸入取引（法28④）❖❖

　保税地域から引き取られる課税貨物に係る消費税の課税標準は、次の⑴に⑵及び⑶に相当する金額を加算した金額とする。

⑴　**関税定率法の規定に準じて算出した価格**

⑵　**引取りに係る消費税以外の消費税等の額**

⑶　**関税の額**

3　税　率（法29）❖❖❖

消費税の税率は、次に掲げる区分に応じそれぞれに定める率とする。

⑴　課税資産の譲渡等、特定課税仕入れ及び保税地域から引き取られる課税貨物（軽減対象課税貨物を除く。）…7.8%

⑵　軽減対象課税資産の譲渡等及び保税地域から引き取られる軽減対象課税貨物…6.24%

4　軽減対象課税資産の譲渡等（法2①九の二）❖❖❖

課税資産の譲渡等のうち、次に掲げるものをいう。

⑴　飲食料品（食品表示法に規定する食品（酒類を除く。以下「食品」という。）をいい、食品と食品以外の資産が一の資産を形成し、又は構成しているもののうち一定の資産を含む。以下同じ。）の譲渡（次に掲げる課税資産の譲渡等は、含まないものとする。）

①　飲食店業その他の一定の事業を営む者が行う食事の提供（テーブル、椅子、カウンターその他の飲食に用いられる設備のある場所において飲食料品を飲食させる役務の提供をいい、その飲食料品を持帰りのための容器に入れ、又は包装を施して行う譲渡は、含まないものとする。）

②　課税資産の譲渡等の相手方が指定した場所において行う加熱、調理又は給仕等の役務を伴う飲食料品の提供（有料老人ホームその他の人が生活を営む場所として一定の施設において行う一定の飲食料品の提供を除く。）

⑵　一定の題号を用い、政治、経済、社会、文化等に関する一般社会的事実を掲載する新聞（1週に2回以上発行する新聞に限る。）の定期購読契約（その新聞を購読しようとする者に対して、その新聞を定期的に継続して供給することを約する契約をいう。）に基づく譲渡

5　軽減対象課税貨物（法2①十一の二）❖❖

課税貨物のうち、飲食料品に該当するものをいう。

Comment
- 課税標準の規定はすべて金額に関するものです。「金額」や「価額」、「額」という言葉を意識して書きましょう。
- 「価額」は、「時価」を指す用語です。したがって、「価額」が出てくる部分は「いつ時点の時価なのか」という点に着目して押さえましょう。また、「価額」を「金額」と書き間違えないよう注意しましょう。

1 仕入れに係る消費税額の控除

基 Ch 7

1 仕入れに係る消費税額の控除 （法30①） ❖❖❖

　事業者（免税事業者を除く。）が、国内において行う課税仕入れ（特定課税仕入れに該当するものを除く。以下同じ。）若しくは特定課税仕入れ又は保税地域から引き取る課税貨物については、**課税仕入れを行った日、特定課税仕入れを行った日又は課税貨物を引き取った日**（※1）の属する課税期間の課税標準額に対する消費税額から、その課税期間中に国内において行った**課税仕入れに係る消費税額**（※2）、その課税期間中に国内において行った**特定課税仕入れに係る消費税額**（※3）及びその課税期間における保税地域からの引取りに係る**課税貨物**（※4）につき課された又は課されるべき消費税額の合計額を控除する。

> （※1）　特例申告を行う場合には、特例申告書を提出した日
>
> （※2）　課税仕入れに係る適格請求書又は適格簡易請求書の記載事項を基礎として計算した金額その他一定の方法により計算した金額をいう。
>
> （※3）　特定課税仕入れに係る支払対価の額に100分の7.8を乗じて算出した金額をいう。
>
> （※4）　他の法律等により消費税が免除されるものを除く。

2 課税売上高5億円超又は課税売上割合95%未満の場合 （法30②④） ❖❖❖

(1) 内　容

　　1 の場合において、その課税期間における**課税売上高が5億円を超える**とき、又は**課税売上割合が95%に満たない**ときは、課税仕入れ等の税額の合計額は、**区分経理されている場合には個別対応方式**により、**されていない場合には一括比例配分方式**により計算した金額とする。なお、区分経理されている場合においても一括比例配分方式によることもできる。

(2) 区分経理

　その課税期間中に国内において行った**課税仕入れ**及び**特定課税仕入れ**並びにその課税期間における保税地域からの引取りに係る**課税貨物**につき、次の3つに区分することをいう。

① 　課税資産の譲渡等にのみ要するもの

② 　その他の資産の譲渡等にのみ要するもの

③ 　課税資産の譲渡等とその他の資産の譲渡等に共通して要するもの

⑶　個別対応方式

①に②を加算する方法をいう。

①　課税資産の譲渡等にのみ要する課税仕入れ等の税額の合計額

②　課税資産の譲渡等とその他の資産の譲渡等に共通して要する課税仕入れ等の税額の合計額に課税売上割合を乗じて計算した金額

⑷　一括比例配分方式

その課税期間における課税仕入れ等の税額の合計額に課税売上割合を乗じて計算する方法をいう。

3　個別対応方式における課税売上割合に準ずる割合の適用（法30③）❖❖

個別対応方式による場合において、課税売上割合に準ずる割合で次の要件をすべて満たすときは、⑵の承認を受けた日（※1）の属する課税期間以後の課税期間については、個別対応方式の②に掲げる金額（以下「共通仕入控除税額」という。）は課税売上割合に代えて、その割合を用いて計算した金額とする。

ただし、課税売上割合に準ずる割合の不適用届出書を提出した日の属する課税期間以後の課税期間については、この限りでない。

⑴　事業者の営む事業の種類又はその事業に係る費用の種類に応じ**合理的に算定される割合**であること。

⑵　**納税地の所轄税務署長の承認を受けたもの**であること。

> （※1）　課税売上割合に準ずる割合を用いて共通仕入控除税額を計算しようとする課税期間の末日までに申請書の提出があった場合において、同日の翌日から同日以後一月を経過する日までの間に納税地の所轄税務署長の承認があったときは、その課税期間の末日においてその承認があったものとみなす。

4　一括比例配分方式の変更制限（法30⑤）❖

一括比例配分方式により計算することとした事業者は、**その方法により計算することとした課税期間の初日から2年を経過する日までの間に開始する各課税期間においてその方法を継続して適用した後の課税期間でなければ、個別対応方式により計算すること**はできない。

5　帳簿等の保存 ❖❖❖

⑴　**帳簿及び請求書等の保存**（法30⑦、規26の6①）

[1]の規定は、事業者がその課税期間の課税仕入れ等の税額の控除に係る**帳簿及び請求書等**（※1）を保存しない場合には、その保存がない部分に係る課税仕入れ等の税額については、**適用しない**。

ただし、災害その他やむを得ない事情により、その保存をすることができなかったことを証明した場合は、この限りでない。

⑵　本人確認書類の保存（法30⑪）

　　1の規定は、**事業者が課税仕入れ**（課税仕入れに係る資産が金又は白金の地金である場合に限る。）**の相手方の本人確認書類を保存しない場合には、その保存がない課税仕入れに係る消費税額については、適用しない。**

　　ただし、災害その他やむを得ない事情により、その保存をすることができなかったことを証明した場合は、この限りでない。

6　保存期間（令50①②）❖❖❖

　　1の規定の適用を受けようとする事業者は、帳簿及び請求書等を整理し、その**帳簿についてはその閉鎖の日、その請求書等についてはその受領した日**（電磁的記録にあっては、その電磁的記録の提供を受けた日）**の属する課税期間の末日の翌日から2月を経過した日から7年間、納税地又は事務所等の所在地に保存**（電磁的記録にあっては、一定の方法による保存に限る。）**しなければならない。**

　　なお、上記翌日から2月を経過した日から5年を経過した日以後は、帳簿又は請求書等のいずれかによることができる。

7　仕入れに係る消費税額の控除が適用されない場合（法30⑩⑫）❖❖

⑴　1の規定は、事業者が国内において行う**住宅の貸付けの用に供しないことが明らかな建物**（その附属設備を含む。）**以外の建物**（高額特定資産又は調整対象自己建設高額資産に該当するものに限る。）**に係る課税仕入れ等の税額については、適用しない。**

⑵　1の規定は、その課税仕入れの際に、その課税仕入れに係る**資産が納付すべき消費税を納付しないで保税地域から引き取られた課税貨物又は輸出物品販売場における輸出物品の譲渡に係る免税の規定により消費税が免除された物品に係るもの**である場合（その課税仕入れを行う事業者が、その**消費税が納付されていないこと又は免除されたものであることを知っていた場合に限る。**）には、その課税仕入れに係る消費税額については、適用しない。

用 語 の意義

1　課税期間における課税売上高（法30⑥）

　①　課税期間が1年である場合
　　　その課税期間中に国内において行った課税資産の譲渡等（特定資産の譲渡等に該当するものを除く。以下同じ。）の対価の額の合計額（税抜価額。）から、売上げに係る税抜対価の返還等の金額の合計額を控除した残額
　②　課税期間が1年に満たない場合
　　　①の残額を年換算した金額

2　課税仕入れ等の税額（法30②）

　課税仕入れに係る消費税額、特定課税仕入れに係る消費税額及び保税地域からの引取りに係る課税貨物につき課された又は課されるべき消費税額をいう。

3　課税売上割合（法30⑥）

　その事業者がその課税期間中に国内において行った資産の譲渡等（特定資産の譲渡等に該当するものを除く。）の対価の額の合計額のうちにその事業者がその課税期間中に国内において行った課税資産の譲渡等の対価の額の合計額の占める割合として一定の方法により計算した割合をいう。

4　課税仕入れ（法2①十二）

　事業者が、事業として他の者から資産を譲り受け、若しくは借り受け、又は役務の提供（※1）を受けること（※2）をいう。

（※1）　所得税法に規定する給与等を対価とする役務の提供を除く。

（※2）　その他の者が事業としてその資産を譲り渡し、貸し付け、又は役務の提供をしたとした場合に課税資産の譲渡等（輸出免税取引等を除く。）に該当することとなるものをいう。

《仕入れに係る消費税額の控除の体系》

原則課税（法30～36、60）　　　　　いずれか　　**簡易課税（法37）**

控除対象仕入税額

- 仕入れに係る消費税額の控除（法30）
- 非課税資産の輸出（法31）
- 資産の国外移送（法31）
- 仕入れに係る対価の返還等（法32）
- 引取りに係る消費税額の還付（法32）
- 課税売上割合の著しい変動（法33）
- 調整対象固定資産の転用（法34、35）
- 居住用賃貸建物を課税賃貸用に供した場合（法35の2）
- 棚卸資産に係る消費税額の調整（法36）
- 国、地方公共団体等の特例（法60）

他の税額控除

- 売上げに係る対価の返還等をした場合の消費税額の控除（法38）
- 特定課税仕入れに係る対価の返還等を受けた場合の消費税額の控除（38の2）
- 貸倒れに係る消費税額の控除（法39）

※簡易課税を選択した場合には、原則課税が適用されないため、法31～法36、法60の特例や調整に関する規定も同様に適用されません。
　なお、簡易課税はあくまでも「仕入れに係る消費税額の控除の特例」規定であるため、簡易課税を適用している場合であっても他の税額控除は適用されることとなります。

〈理論必勝法〉理論の学習方法④
～覚えた文章は書いてみよう～

　理論を覚えるには、「読む、書く、聞く」といった３つの方法があります。

　どういった方法が効率的かは、人によって異なる部分であり、誰にとっても効果的という方法はありません。税法の学習を始めて、自分なりのスタイルが確立されるまでは試行錯誤の繰り返しです。しかし、いろいろな方法を試していくうちに、自分なりの暗記のスタイルが確立しますので、それが見つけられれば、あとはひたすら根気よく続けるだけです。

「１度書いてみよう」

　ここで注意しておきたいのが、暗記をした理論は１度書いてみるということです。本試験では、覚えた理論の文章を実際に書いていきます。

　その際に音だけで覚えてしまうと、急に漢字がわからなくなったり、間違って押さえていたりしますので、覚えたものを客観的に見る機会がないと本当に正しく押さえられているのか確認ができないのです。

　また、「理論の学習方法③」でも説明したように、最近の本試験問題は解答範囲が広く、その中で絞った解答をする必要があるため、自分が１つの規定を書くのにどの程度の時間が必要かを把握しておかないと、短い時間の中で必要な解答範囲に対する時間配分が読めなくなってしまいます。

「時間を把握して戦略を立てよう」

　理論の問題の解き方としては、まず、問題文を読み解答要求事項を把握したら、解答に必要な規定の範囲を挙げます。ここで、時間配分を考え、詳細に書き切るだけの時間があれば詳細に書き、書き切る時間がなければ時間内ですべての規定が書けるよう、文章を要約する必要があります。

　１つの規定に対し、解答を書く時間が事前にわかっていれば、あとは解答範囲に応じてどこまで書くのかを決めることができるわけです。

　このように、問題によって戦略を考えるためにも目安となる時間を知っておく必要があります。そのために、暗記の際も書いてみて必要な時間を把握しておくことが重要なのです。

| 3 | 税額控除等 | 出題年度：H17.・22・R２他２回 |

2　帳簿及び請求書等の保存要件

重要

基Ch 7

1　帳簿等の保存 ❖❖❖

(1)　内　容（法30⑦、令49①）

　　仕入れに係る消費税額の控除の規定は、事業者がその課税期間の課税仕入れ等の税額の控除に係る**帳簿及び請求書等**（※1）を**保存しない場合**には、その保存がない部分に係る課税仕入れ等の税額については、**適用しない。**

　　ただし、**災害その他やむを得ない事情によりその保存をすることができなかった**ことを証明した場合は、この限りでない。

> （※1）　次のいずれかの場合には帳簿。
> ①　請求書等の交付を受けることが困難である場合
> ②　特定課税仕入れに係るものである場合
> ③　その他一定の場合

(2)　保存期間（令50①、②）

　　仕入れに係る消費税額の控除の規定の適用を受けようとする事業者は、帳簿及び請求書等を整理し、その**帳簿についてはその閉鎖の日**、その**請求書等についてはその受領した日**（電磁的記録にあっては、その電磁的記録の提供を受けた日）の属する課税期間の末日の翌日から２月を経過した日から７年間、納税地又は事務所等の所在地に保存（電磁的記録にあっては、一定の方法による保存に限る。）しなければならない。

　　なお、上記翌日から２月を経過した日から５年を経過した日以後は、帳簿又は請求書等のいずれかによることができる。

2　帳簿の意義（法30⑧）❖❖

次の事項が記載されているものをいう。

(1)　課税仕入れに係るものである場合

①　課税仕入れの**相手方の氏名又は名称**

②　課税仕入れを行った**年月日**

③　課税仕入れに係る**資産又は役務の内容**（その課税仕入れが他の者から受けた軽減対象課税資産の譲渡等に係るものである場合には、資産の内容及び軽減対象課税資産の譲渡等に係るものである旨）

④　課税仕入れに係る**支払対価の額**（その課税仕入れの対価として支払い、又は支払うべき一切の金銭又は金銭以外の物若しくは権利その他経済的な利益の額とし、その課税仕入れに係る資産を譲り渡し、若しくは貸し付け、又は当該課税仕入れに係る役務を提供する事業者に課されるべき消費税額及び地方消費税額に相当す

る額がある場合には、その相当する額を含む。)

(2) 特定課税仕入れに係るものである場合

① 特定課税仕入れの**相手方の氏名又は名称**

② 特定課税仕入れを行った**年月日**

③ 特定課税仕入れの**内容**

④ 特定課税仕入れに係る**支払対価の額**

⑤ 特定課税仕入れに係るものである**旨**

(3) 課税貨物に係るものである場合

① 課税貨物を保税地域から**引き取った年月日**（課税貨物につき特例申告書を提出した場合には、保税地域から引き取った年月日及び特例申告書を提出した日）

② 課税貨物の**内容**

③ 課税貨物の引取りに係る**消費税額及び地方消費税額又はその合計額**

3 請求書等の意義（法30⑨）❖❖

次に掲げる書類及び電磁的記録をいう。

(1) 事業者に対し課税資産の譲渡等（特定資産の譲渡等に該当するもの及び輸出免税取引等を除く。以下同じ。）**を行う他の事業者**（適格請求書発行事業者に限る。以下同じ。）が、その課税資産の譲渡等につきその事業者に**交付する適格請求書又は適格簡易請求書**

(2) 事業者に対し課税資産の譲渡等を行う他の事業者が、その課税資産の譲渡等につきその事業者に交付すべき適格請求書又は適格簡易請求書に代えて**提供する電磁的記録**

(3) 事業者がその行った**課税仕入れ**（他の事業者が行う課税資産の譲渡等に該当するものに限るものとし、その課税資産の譲渡等のうち、適格請求書を交付することが困難な課税資産の譲渡等その他一定のものを除く。）**につき作成する仕入明細書、仕入計算書その他これらに類する書類**で課税仕入れの相手方の氏名又は名称その他の一定の事項が記載されているもの（その書類に記載されている事項につき、その課税仕入れの相手方の確認を受けたものに限る。）

(4) 事業者がその行った**課税仕入れ**（卸売市場においてせり売又は入札の方法により行われるものその他の媒介又は取次ぎに係る業務を行う者を介して行われる課税仕入れとして一定のものに限る。）につきその媒介又は取次ぎに係る業務を行う者から**交付を受ける請求書、納品書その他これらに類する書類**で一定の事項が記載されているもの

(5) 課税貨物を保税地域から引き取る事業者が税関長から交付を受けるその課税貨物の**輸入許可証その他の一定の書類**で次に掲げる事項が記載されているもの

① 納税地を所轄する税関長

② 課税貨物を保税地域から引き取ることができることとなった年月日（課税貨物につき特例申告書を提出した場合には、保税地域から引き取ることができることとなった年月日及び特例申告書を提出した日）

③　課税貨物の内容
④　課税貨物に係る消費税の課税標準である金額並びに引取りに係る消費税額及び
　　地方消費税額
⑤　書類の交付を受ける事業者の氏名又は名称

Comment
●特定課税仕入れに係る帳簿の記載事項は、課税仕入れと似ていますが、「特定課税仕入れに係るものである旨」が必要となります。
●課税仕入れに係る請求書等の記載事項は「①売上げ側の名称、②仕入れ側の名称、③年月日、④内容、⑤金額」です。それぞれの書類の作成者の立場に応じ、（売上側）「課税資産の譲渡等〜」、（仕入側）「課税仕入れ〜」と使い分けています。
●課税貨物に係る帳簿については、「引取りの申告」の内容を思い出しながら記載事項を確認しましょう。
●金額を指す言葉で、売上側の「対価の額」は税抜金額を指し、仕入側の「支払対価の額」は税込金額を指します。

〈理論必勝法〉解答作成テクニック
～言葉の置き換え方を理解しよう～

　消費税の理論の問題は、近年、解答範囲が広く、解答要求事項のとおりに解答範囲を挙げていくと、「あまりにも書くことが多すぎて書き切れない…」ということがしばしばあります。前のページでも触れたように、理論の問題では、解答範囲の特定部分を厳密に書くよりも、部分的に不足はあってもなるべくすべての範囲を解答できている方が得点は高くなります。そのため、覚えた理論を要約する力が必要となります。

　それでは、ここで要約のための「言葉の置き換え」テクニックを2つほどご紹介しましょう。

テクニック1　キラーワード「一定の～」

　すでにこの理論集や教科書においてもよく見ると様々な部分にこの単語が登場します。本文中に金額や計算方法、期間などの細かい説明が含まれている場合にはその説明部分を「一定の金額」、「一定の方法」、「一定の期間」などという形で置き換えることで、規定の要旨の部分のみの文章を作成することができます。理論集上で、「下記の方法により～」などと記載されている部分も「一定の方法」と置き換えることにより、下記にあたる部分を記載しないでも意味のとおる文章を作成することができます。

テクニック2　タイトルで置き換える

　本文中に「1の場合において」などと、前の文章からの引用で説明する規定があります。このときに、当然1の部分を書かずに、「1の場合に」から文章を書きだしても全く意味がわかりません。このような場合には、該当する部分の理論についているタイトルをそのまま用います。たとえば、「仕入れに係る消費税額の控除」（テーマ3－1参照）の②から説明したい場合には「①の場合において」の部分を「仕入れに係る消費税額の控除の規定を適用する場合において」と置き換えることで①の文章を記載しないでもどこの部分の説明なのか、相手に通じる文章となります。「この規定は」で始まる文章も同様にタイトルを置き換えてその部分だけ抜き出せます。

　本試験の解答を考える際に、細かい部分まで記載する時間があるのか判断できないときは、まずこのテクニックを使って、文章の要旨を先に記載します。

　仮に、要旨が書き終わって細かい部分まで書く時間があるようでしたら、「上記一定の金額とは～」というように、その置き換えた部分の説明を文章に付け加えてあげれば元の文章と同じ完全な文章に戻ります。ただし、この技は時間のない本試験では瞬間的な判断力が要求されるため、普段からどのように置き換えが可能か意識して押さえていきましょう。

| 3 | 税額控除等 | 出題年度：H19・27・R5 他6回 |

3 課税売上割合

重要

基 Ch 7

1 課税売上割合（法30⑥、令48①）❖❖❖

事業者が、その課税期間中に国内において行った**資産の譲渡等**（特定資産の譲渡等に該当するものを除く。以下同じ。）**の対価の額の合計額**（※1）のうちにその事業者がその課税期間中に国内において行った**課税資産の譲渡等**（特定資産の譲渡等に該当するものを除く。以下同じ。）**の対価の額の合計額**（※2）**の占める割合**をいう。

（※1）　その資産の譲渡等に係る対価の返還等の金額の合計額を控除した残額
（※2）　その課税資産の譲渡等に係る税抜対価の返還等の金額の合計額を控除した残額

2 ①の資産の譲渡等に含まないもの（令48②）❖❖❖

⑴ **支払手段等の譲渡**
⑵ 資産の譲渡等を行った者が**その対価として取得した金銭債権の譲渡**
⑶ 現先取引債券等を約定期日に約定価格等で買い戻すことを約して譲渡し、かつ、その約定に基づき買い戻す場合における**その現先取引債券等の譲渡**

3 買現先取引（令48③）❖❖

事業者が現先取引債券等を約定期日に約定価格等で売り戻すことを約して購入し、かつ、その約定に基づき売り戻した場合には、その**売戻しに係る対価の額**からその**購入に係る対価の額**を控除した残額を①の資産の譲渡等の対価の額（※1）とする

（※1）　控除しきれない金額があるときは、その控除しきれない金額を控除した残額

4 金銭債権の譲受け（令48④）❖❖

貸付金その他の金銭債権の譲受けその他の承継（包括承継を除く。）が行われた場合における対価は、**利子**（※1）とする。

（※1）　償還差益、金銭債権の買取差益等、その他経済的な性質が利子に準ずるものを含む。

　有価証券等の譲渡（令48⑤）❖❖❖

有価証券等（ゴルフ場利用株式等を除く。以下同じ。）の譲渡をした場合（2又は
3の場合を除く。）又は、**貸付金、預金、売掛金その他の金銭債権**（資産の譲渡等の
対価として取得したものを除く。）の譲渡をした場合には、その有価証券等又は金銭債
権の譲渡対価の額の**5％相当額**を1の資産の譲渡等の対価の額とする。

6　国債等の償還差損（令48⑥）❖❖

国債等の償還金額が取得価額に満たない場合には、1の資産の譲渡等の対価の額
は、その対価の額から、**償還差損**（償還有価証券の調整差損を含む。）を控除した残額
とする。

Comment

●割合について説明を書く際の文章は、

> （分母の内容）のうちに（分子の内容）の占める割合

となります。この表現は、他の割合に関する用語の説明でも使えますので、覚
えておきましょう。

●2から6までの規定は、それぞれのケースで「非課税売上高の計上金額にど
のような金額を用いるのか？」について定めた規定です。それぞれ1の割合に
おける「資産の譲渡等の対価の額」に算入する金額がどの金額になるのかを意
識して押さえましょう。

●「残額」とは、「残りの金額」を指す言葉であるため、ゼロ以上の概念であり、
残額がマイナスとなることはありません。

●3の買現先取引や6の償還差損は、原則、譲渡時の金額と取得時の金額の差
額を「対価の額」としますが、差額がマイナスとなる場合には、そのマイナス
分を直接「対価の額」の計算上控除します。計算問題でも稀に問われることが
ありますので押さえておきましょう。

4　非課税資産の輸出等を行った場合の仕入れに係る消費税額の控除の特例

重要　応Ch 2

1　非課税資産の輸出 ✢✢✢

(1)　内　容（法31①）

　　事業者（免税事業者を除く。）が国内において**非課税資産の譲渡等のうち輸出取引等に該当するものを行った場合**において、その非課税資産の譲渡等が輸出取引等に該当するものであることにつき証明がされたときは、その**証明がされたものは、課税資産の譲渡等**（特定資産の譲渡等に該当するものを除く。以下同じ。）**に係る輸出取引等に該当するものとみなして、仕入れに係る消費税額の控除の規定を適用する。**

(2)　課税売上割合（令51②）

　　非課税資産の譲渡等のうち輸出取引等に該当するものの対価の額は、課税資産の譲渡等の対価の額の合計額に含まれるものとする。

　　また、輸出取引等に該当する資産の譲渡等（特定資産の譲渡等に該当するものを除く。以下同じ。）に係る対価の返還等の金額は、課税資産の譲渡等に係る対価の返還等の金額に含まれる。

(3)　非課税資産の譲渡等のうち輸出取引等に該当するもの（法7①、令17②③）

①　本邦からの輸出として行われる非課税資産の譲渡又は貸付け

②　非課税とされる外国貨物の譲渡又は貸付け（①に該当するものを除く。）

③　非居住者に対する非課税とされる役務の提供で国内において直接便益を享受するもの以外のもの

④　利子を対価とする金銭の貸付けその他これに類するもので**その債務者が非居住者であるもの**

(4)　証明方法（規16①）

　　輸出許可書等の書類又は帳簿を整理し、その非課税資産の譲渡等を行った日の属する課税期間の末日の翌日から２月を経過した日から７年間、納税地又は事務所等の所在地に保存することにより証明する。

2 資産の国外移送 ✦✦✦

⑴ 内 容（法31②）

　　事業者（免税事業者を除く。）が**国外における資産の譲渡等又は自己の使用のため、資産を輸出した場合**において、その資産が輸出されたことにつき証明がされたときは、その証明がされたものは、課税資産の譲渡等に係る輸出取引等に該当するものとみなして、仕入れに係る消費税額の控除の規定を適用する。

⑵ 課税売上割合（令51③④）

　　資産の輸出に該当するものに係る資産の価額に相当する金額（本船甲板渡し価格）は、資産の譲渡等の対価の額の合計額及び課税資産の譲渡等の対価の額の合計額にそれぞれ含まれる。

⑶ 証明方法（規16②）

　　輸出許可書等の書類又は帳簿を整理し、その**資産の輸出をした日**の属する課税期間の末日の翌日から２月を経過した日から７年間、納税地又は事務所等の所在地に保存することにより証明する。

3 適用除外（令51①）✦✦

　有価証券、支払手段、金銭債権の輸出は、非課税資産の輸出取引等及び国外移送の場合の資産の輸出には含まれない。

Comment

● 法31の各規定は、法30〜法36の仕入れに係る消費税額の控除（原則課税）の規定を適用する範囲内においてのみ、非課税資産の譲渡等や国外移送に係る対価の額を免税取引とみなします。したがって、これらに関する以外の部分では、通常どおりの取扱い（非課税又は不課税）となります。基準期間における課税売上高の計算などで注意が必要です。

● ここでいう「輸出取引等」は、輸出免税の規定で出てくる輸出取引等をそのまま準用しています。したがって、① ⑶は、法７（輸出免税）の中で非課税となる取引のみをピックアップして列挙したものとなります。なお、このうち④に関しては、通常課税資産の譲渡等にならない取引（非課税取引）であるため、この規定を適用する場合のみ例外的に輸出取引等となる取引です。

5　仕入れに係る対価の返還等を受けた場合の 仕入れに係る消費税額の控除の特例

重要 基 Ch10

1　仕入れに係る対価の返還等を受けた場合（法32①）❖❖❖

　事業者（免税事業者を除く。）が国内において行った課税仕入れ（特定課税仕入れに該当するものを除く。以下同じ。）又は特定課税仕入れにつき、仕入れに係る対価の返還等（※1）を受けた場合には、一定の金額をその仕入れに係る対価の返還等を受けた日の属する課税期間における課税仕入れ等の税額の合計額とみなして、仕入れに係る消費税額の控除の規定を適用する。

> （※1）　返品、値引き、割戻しによる課税仕入れに係る支払対価の額若しくは特定課税仕入れに係る支払対価の額の全部若しくは一部の返還又はその課税仕入れに係る支払対価の額若しくはその特定課税仕入れに係る支払対価の額に係る買掛金等の全部若しくは一部の減額をいう。

2　課税仕入れ等の税額の合計額の計算方法（法32①）❖❖

(1)　全額控除の場合

　　①から②を控除した残額

①　その課税期間における課税仕入れ等の税額の合計額

②　その課税期間において仕入れに係る対価の返還等を受けた金額に係る消費税額（※1）の合計額

(2)　個別対応方式の場合

　　①から②を控除した残額に③から④を控除した残額を加算した金額

①　課税資産の譲渡等にのみ要する課税仕入れ等の税額の合計額

②　課税資産の譲渡等にのみ要する仕入れに係る対価の返還等を受けた金額に係る消費税額（※1）の合計額

③　課税資産の譲渡等とその他の資産の譲渡等に共通して要する課税仕入れ等の税額の合計額に課税売上割合（※2）を乗じて計算した金額

④　課税資産の譲渡等とその他の資産の譲渡等に共通して要する仕入れに係る対価の返還等を受けた金額に係る消費税額（※1）の合計額に課税売上割合（※2）を乗じて計算した金額

(3)　一括比例配分方式の場合

　　①から②を控除した残額

①　その課税期間における課税仕入れ等の税額の合計額に課税売上割合を乗じて計算した金額

② その課税期間において**仕入れに係る対価の返還等を受けた金額に係る消費税額**（※1）の合計額に課税売上割合を乗じて計算した金額

> （※1）　その課税仕入れに係る支払対価の額につき返還を受けた金額又はその減額を受けた債務の額に 110 分の 7.8（他の者から受けた軽減対象課税資産の譲渡等に係るものである場合には、108 分の 6.24。）を乗じて算出した金額及びその特定課税仕入れに係る支払対価の額につき返還を受けた金額又はその減額を受けた債務の額に 100 分の 7.8 を乗じて算出した金額
> （※2）　課税売上割合に準ずる割合の適用がある場合にはその割合

3　控除しきれない場合（法 32②）✤

　　1　2の規定により、仕入れに係る対価の返還等を受けた金額に係る消費税額の合計額を、その仕入れに係る対価の返還等を受けた日の属する課税期間の課税仕入れ等の税額の合計額から控除して**控除しきれない金額があるときは、その控除しきれない金額を課税資産の譲渡等に係る消費税額とみなして、その課税期間の課税標準額に対する消費税額に加算**する。

4　相続、合併、分割等があった場合（法 32③⑦）

⑴　相続により事業を承継した**相続人が被相続人により行われた課税仕入れ又は特定課税仕入れにつき仕入れに係る対価の返還等を受けた場合には、その相続人が行った課税仕入れ又は特定課税仕入れにつき仕入れに係る対価の返還等を受けたものとみなして**1から3の規定を適用する。
⑵　⑴の規定は、合併、分割の場合において準用する。

Comment
●応用理論等で解答範囲の一部として挙げていく場合には、1の要旨部分のみの記載で充分なケースが多いので、1を優先して押さえましょう。
●2の計算方法は、計算問題を思い出しながらそれぞれの計算方法による場合の違いを押さえていきましょう。
●課税売上割合に準ずる割合は、個別対応方式での特例であるため、2（※2）の注書きは「⑶一括比例配分方式の場合」には入れないように注意しましょう。
●3の文章中の、「課税資産の譲渡等に係る消費税額」と「課税標準額に対する消費税額」という２つの言葉の書き分けに注意しましょう。
　「課税標準額に対する消費税額に加算する」という表現は、計算問題の解答で、「控除過大調整税額」を、差引税額の計算をするときに加算するイメージです。

3　税額控除等

6　保税地域からの引取りに係る課税貨物に係る消費税額の還付を受ける場合の仕入れに係る消費税額の控除の特例　基Ch10

1　課税貨物に係る消費税額の還付を受ける場合（法32④）❖❖

　事業者（免税事業者を除く。）が保税地域からの引取りに係る**課税貨物**に係る消費税額の全部又は一部につき、他の法律の規定により、**還付を受ける場合**には、一定の金額をその還付を受ける日の属する課税期間の課税仕入れ等の税額の合計額とみなして、仕入れに係る消費税額の控除の規定を適用する。

2　課税仕入れ等の税額の合計額の計算方法（法32④）❖

(1)　**全額控除の場合**

　　①から②を控除した**残額**

①　その課税期間における**課税仕入れ等の税額の合計額**（※1）

②　その**課税貨物**につきその課税期間において**還付を受ける消費税額の合計額**

(2)　**個別対応方式の場合**

　　①から②を控除した**残額**に③から④を控除した**残額**を加算した金額

①　課税資産の譲渡等に**のみ要する**課税仕入れ等の税額の合計額（※1）

②　課税資産の譲渡等に**のみ要する**課税貨物につきその課税期間において還付を受ける消費税額の合計額

③　課税資産の譲渡等とその他の資産の譲渡等に**共通して要する**課税仕入れ等の税額の合計額に課税売上割合（※2）を乗じて計算した金額（※1）

④　課税資産の譲渡等とその他の資産の譲渡等に**共通して要する**課税貨物につきその課税期間において還付を受ける消費税額の合計額に課税売上割合（※2）を乗じて計算した金額

(3)　**一括比例配分方式の場合**

　　①から②を控除した**残額**

①　その課税期間における**課税仕入れ等の税額の合計額**に課税売上割合を乗じて計算した金額（※1）

②　その**課税貨物**につきその課税期間において**還付を受ける消費税額の合計額**に課税売上割合を乗じて計算した金額

(※1)　仕入れに係る対価の返還等を受けた金額に係る消費税額の合計額を控除した残額

(※2)　課税売上割合に準ずる割合の適用がある場合にはその割合

3 控除しきれない場合（法32⑤）❖

　　①②の規定により、還付を受ける消費税額の合計額を、その還付を受ける日の属する課税期間の課税仕入れ等の税額の合計額から控除して**控除しきれない金額がある**ときは、その**控除しきれない金額を課税資産の譲渡等に係る消費税額とみなして**、その課税期間の**課税標準額に対する消費税額に加算**する。

4 相続、合併、分割等があった場合（法32⑥⑦）

⑴　相続により事業を承継した**相続人が被相続人による保税地域からの引取りに係る課税貨物につき、他の法律の規定により、還付を受ける場合には、その相続人による保税地域からの引取りに係る課税貨物につき還付を受けるものとみなして**①から③の規定を適用する。

⑵　⑴の規定は、**合併、分割**の場合において**準用**する。

Comment

●引取りに係る消費税額の還付の規定は、仕入返還の規定と同じ構成になっています。特に②の計算方法に関しては、仕入返還の規定との違いを中心に押さえていくと覚えやすいです。計算問題の算式を思い出しながら押さえていきましょう。

●「課税仕入れ等の税額」は、課税仕入れとなる取引の税額であり、「仕入れに係る消費税額」は、納付税額を求める際の「控除対象仕入税額」を指します。

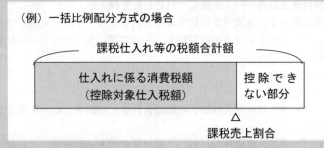

（例）一括比例配分方式の場合

両者は、全額控除の場合は一致しますが、それ以外は控除できない部分があるため、上記のような違いが出てきます。

なお、「控除対象仕入税額」は、条文上の表現ではないため、理論の答案を作成する際は、「仕入れに係る消費税額」を使用します。

| 3 | 税額控除等 | 出題年度：H23・26・R3　他4回 |

7　課税売上割合が著しく変動した場合の調整対象固定資産に関する仕入れに係る消費税額の調整

重要　応Ch3

1　課税売上割合が著しく変動した場合 ✢✢✢

(1) 内　容（法33①）

事業者（免税事業者を除く。）が、国内において調整対象固定資産の課税仕入れ等を行い、かつ、その課税仕入れ等の税額につき比例配分法により仕入れに係る消費税額を計算した場合（※1）において、その事業者（※2）が第3年度の課税期間の末日においてその調整対象固定資産を有しており、かつ、第3年度の課税期間における通算課税売上割合が仕入れ等の課税期間における課税売上割合（※3）に対して著しく変動した場合に該当するときは、一定の調整税額をその者のその第3年度の課税期間の仕入れに係る消費税額に加算し又は控除する。

この場合において、その加算後又はその控除後の金額をその課税期間の仕入れに係る消費税額とみなす。

> （※1）　課税仕入れ等の税額の全額が控除された場合を含む
> （※2）　その調整対象固定資産に係る事業を承継した相続人、合併法人及び分割承継法人を含み、免税事業者を除く
> （※3）　課税売上割合に準ずる割合の適用がある場合には、その割合

(2) 著しく変動した場合（令53①②）

次のいずれも満たす場合をいう。

① 変動率

仕入れ等の課税期間における課税売上割合のうちに、仕入れ等の課税期間における課税売上割合と通算課税売上割合との差（以下「変動差」という。）の占める割合が50％以上である場合

② 変動差

変動差が5％以上である場合

(3) 調整税額（法33①）

① 著しく増加した場合 ----- ロからイを控除した金額

② 著しく減少した場合 ----- イからロを控除した金額

イ　調整対象基準税額に仕入れ等の課税期間における課税売上割合を乗じて計算した消費税額の合計額（※1）

ロ　調整対象基準税額に通算課税売上割合を乗じて計算した消費税額の合計額

> （※1）　仕入れ等の課税期間に課税仕入れ等の税額の全額が控除された場合には、調整対象基準税額の合計額

控除しきれない場合（法33③）❖❖

　課税売上割合が著しく減少した場合において、調整税額をその第３年度の課税期間の仕入れに係る消費税額から**控除して控除しきれない金額があるとき**は、その**控除しきれない金額を、課税資産の譲渡等に係る消費税額とみなして、その第３年度の課税期間の課税標準額に対する消費税額に加算**する。

用語の意義

1　調整対象固定資産（法2①十六、令5）

　　棚卸資産以外の資産で建物、構築物その他の資産のうち、その資産に係る課税仕入れ（特定課税仕入れを除く。）に係る支払対価の額の110分の100に相当する金額、その資産に係る特定課税仕入れに係る支払対価の額又は保税地域から引き取られるその資産の課税標準である金額が、一の取引単位につき100万円以上のものをいう。

2　比例配分法（法33②）

　　次に定める方法をいう。

①　個別対応方式により課税資産の譲渡等とその他の資産の譲渡等に共通して要する課税仕入れ等の税額の合計額に課税売上割合を乗じて計算する方法

②　一括比例配分方式

3　第３年度の課税期間（法33②）

　　仕入れ等の課税期間の開始の日から３年を経過する日の属する課税期間をいう。

4　通算課税売上割合（法33②）

　　仕入れ等の課税期間から第３年度の課税期間までの各課税期間において適用されるべき課税売上割合を通算した課税売上割合をいう。

5　仕入れ等の課税期間（法33①）

　　調整対象固定資産の課税仕入れ等の日の属する課税期間をいう。

6　調整対象基準税額（法33①一）

　　第３年度の課税期間の末日に有する調整対象固定資産の課税仕入れ等の税額をいう。

Comment

●「課税仕入れ**等**」は、課税仕入れ、特定課税仕入れ及び課税貨物の引取りを指す言葉です。

　「課税仕入れ」と記載してしまいますと、特定課税仕入れと課税貨物の引取りの部分が入らなくなってしまうため、書き落としのないよう注意しましょう。

| 3 | 税額控除等 | 出題年度：H17 |

8　調整対象固定資産を転用した場合の仕入れに係る消費税額の調整

重要 応 Ch 3

1　課税業務用から非課税業務用に転用した場合 ❖❖❖

⑴　内　容（法34①）

　　事業者（免税事業者を除く。）が、国内において調整対象固定資産の課税仕入れ等を行い、かつ、**調整対象税額につき個別対応方式により課税資産の譲渡等にのみ要するものとして仕入れに係る消費税額を計算した場合**において、その事業者（※1）がその調整対象固定資産をその**課税仕入れ等の日から3年以内にその他の資産の譲渡等に係る業務の用に供したとき**は、一定の方法により計算した**調整税額**をその業務の用に供した日の属する課税期間の仕入れに係る消費税額から控除する。

　　この場合において、その**控除後の金額**をその課税期間における仕入れに係る消費税額とみなす。

> （※1）　その調整対象固定資産に係る事業を承継した相続人、合併法人及び分割承継法人を含み、免税事業者を除く。

⑵　控除しきれない場合（法34②）

　　⑴の場合において、調整税額をその業務の用に供した日の属する課税期間の仕入れに係る消費税額から控除して**控除しきれない金額があるとき**は、その**控除しきれない金額を課税資産の譲渡等に係る消費税額とみなして、その課税期間の課税標準額に対する消費税額に加算**する。

2　非課税業務用から課税業務用に転用した場合（法35①）❖❖❖

　　事業者（免税事業者を除く。）が、国内において調整対象固定資産の課税仕入れ等を行い、かつ、**調整対象税額につき個別対応方式によりその他の資産の譲渡等にのみ要するものとして仕入れに係る消費税額がないこととした場合**において、その事業者（※1）がその調整対象固定資産をその**課税仕入れ等の日から3年以内に課税資産の譲渡等に係る業務の用に供したとき**は、一定の方法により計算した**調整税額**をその業務の用に供した日の属する課税期間の仕入れに係る消費税額に加算する。

　　この場合において、その**加算後の金額**をその課税期間における**仕入れに係る消費税額**とみなす。

> （※1）　その調整対象固定資産に係る事業を承継した相続人、合併法人及び分割承継法人を含み、免税事業者を除く。

3 調整税額（法34①、35①）❖❖❖

⑴ 調整対象固定資産の**課税仕入れ等の日から1年を経過する日までの期間**
調整対象税額

⑵ **⑴の期間の末日の翌日から1年を経過する日までの期間**
調整対象税額の3分の2

⑶ **⑵の期間の末日の翌日から1年を経過する日までの期間**
調整対象税額の3分の1

用語 の意義

1 **調整対象固定資産（法2①十六、令5）**
　棚卸資産以外の資産で建物、構築物その他の資産のうち、その資産に係る課税仕入れ（特定課税仕入れを除く。以下同じ。）に係る支払対価の額の110分の100に相当する金額、その資産に係る特定課税仕入れに係る支払対価の額又は保税地域から引き取られるその資産の課税標準である金額が、一の取引単位につき100万円以上のものをいう。

2 **調整対象税額（法34①、法35①）**
　調整対象固定資産の課税仕入れ若しくは特定課税仕入れ又は課税貨物に係る課税仕入れ等の税額をいう。

Comment

● 1 及び 2 の内容の文章は、下記のような構成となっています。

〔文章構成〕

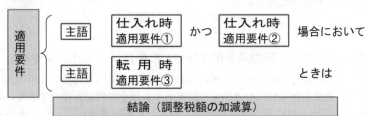

上記のように、3つの適用要件を仕入れ時2つと転用時1つに分けて、それぞれを「かつ」でつないでいます。

● 転用の規定は、「課税→非課税」が法34、「非課税→課税」が法35とそれぞれ違う規定となっています。事例問題などでは、問題文の出題内容を読み取り、1 と 2 のいずれかを記載します。

● 仕入れ時の計算方法の要件について、法34①では、控除の対象となる税額が出るため「計算した場合」となっているのに対し、法35①では、控除の対象となる額が出ないため、「ないこととした場合」という表現になっています。

9　居住用賃貸建物を課税賃貸用に供した場合等 の仕入れに係る消費税額の調整

応 Ch14

1　居住用賃貸建物を課税賃貸用に供した場合（法35の2①）❖❖

　事業者（免税事業者を除く。）が、居住用賃貸建物に係る課税仕入れ等の税額について仕入れに係る消費税額の控除が適用されない場合において、その事業者（※1）が第3年度の課税期間の末日においてその居住用賃貸建物を有しており、かつ、その居住用賃貸建物の全部又は一部をその居住用賃貸建物の仕入れ等の日から第3年度の課税期間の末日までの間（以下「調整期間」という。）に住宅の貸付け以外の貸付けの用（3において「課税賃貸用」という。）に供したときは、その有している居住用賃貸建物に係る課税仕入れ等の税額に課税賃貸割合を乗じて計算した金額に相当する消費税額をその事業者のその第三年度の課税期間の仕入れに係る消費税額に加算する。この場合において、その加算をした後の金額をその課税期間における仕入れに係る消費税額とみなす。

　（※1）　その居住用賃貸建物に係る事業を承継した相続人、合併法人及び分割
　　　　　承継法人を含み、免税事業者を除く

2　居住用賃貸建物を譲渡した場合（法35の2②）❖❖

　事業者（免税事業者を除く。）が、居住用賃貸建物に係る課税仕入れ等の税額について仕入れに係る消費税額の控除が適用されない場合において、その事業者（※1）がその居住用賃貸建物の全部又は一部を調整期間に他の者に譲渡したとき（その居住用賃貸建物について資産の譲渡とみなされる場合を含む。）は、その譲渡をした居住用賃貸建物に係る課税仕入れ等の税額に課税譲渡等割合を乗じて計算した金額に相当する消費税額をその事業者のその譲渡をした課税期間の仕入れに係る消費税額に加算する。この場合において、その加算をした後の金額をその課税期間における仕入れに係る消費税額とみなす。

　（※1）　その居住用賃貸建物に係る事業を承継した相続人、合併法人及び分割
　　　　　承継法人を含み、免税事業者を除く

3　用語の意義（法35の2③）❖

(1)　第三年度の課税期間
　居住用賃貸建物の仕入れ等の日の属する課税期間の開始の日から3年を経過する日の属する課税期間

(2)　課税賃貸割合

　　事業者が調整期間に行ったその居住用賃貸建物の貸付けの対価の額（消費税等相当額を含まない金額をいう。以下(3)において同じ。）の合計額のうちにその事業者が調整期間に行ったその居住用賃貸建物の貸付け（課税賃貸用に供したものに限る。）の対価の額の合計額の占める割合として一定の方法により計算した割合をいう。

(3)　課税譲渡等割合

　　事業者が居住用賃貸建物の仕入れ等の日からその居住用賃貸建物を他の者に譲渡した日までの間（以下「課税譲渡等調整期間」という。）に行ったその居住用賃貸建物の貸付けの対価の額の合計額及びその事業者が行ったその居住用賃貸建物の譲渡の対価の額の合計額のうちにその事業者が課税譲渡等調整期間に行ったその居住用賃貸建物の貸付け（課税賃貸用に供したものに限る。）の対価の額の合計額及びその事業者が行ったその居住用賃貸建物の譲渡の対価の額の合計額の占める割合として一定の方法により計算した割合をいう。

10　納税義務の免除を受けないこととなった場合等の棚卸資産に係る消費税額の調整　応Ch4

1　免税事業者が課税事業者となった場合（法36①）❖

　免税事業者が、課税事業者となった場合において、その課税事業者となった課税期間の初日（※1）の前日において免税事業者であった期間中に国内において譲り受けた課税仕入れ等に係る棚卸資産（※2）を有しているときは、その棚卸資産に係る消費税額（※3）をその課税事業者となった課税期間の仕入れに係る消費税額の計算の基礎となる課税仕入れ等の税額とみなす。

> （※1）　相続、吸収合併、吸収分割があったことにより課税事業者となった場合には、課税事業者となった日。
> （※2）　棚卸資産を原材料として製作され又は建設された棚卸資産を含む。
> （※3）　棚卸資産の取得に要した費用の額に110分の7.8（その課税仕入れに係る棚卸資産が軽減税率の適用を受けるものである場合又はその課税貨物が飲食料品に該当するものである場合には、108分の6.24）を乗じて算出した金額をいう。

2　免税事業者から事業承継により引き継いだ場合（法36③）❖

　事業者（免税事業者を除く。）が、相続、合併、分割により免税事業者である被相続人、被合併法人、分割法人の事業を承継した場合において、これらの者が免税事業者であった期間中に国内において譲り受けた課税仕入れ等に係る棚卸資産を引き継いだときは、その棚卸資産に係る消費税額（※3）をその引き継ぎを受けた事業者のその相続、合併、分割があった日の属する課税期間の仕入れに係る消費税額の計算の基礎となる課税仕入れ等の税額とみなす。

3　書類の保存（法36②④）❖

　①又は②の規定は、事業者が棚卸資産の明細を記録した書類を保存しない場合には、その保存がないものについては、適用しない。

　ただし、災害その他やむを得ない事情によりその保存をすることができなかったことを証明した場合は、この限りでない。

　課税事業者が、免税事業者となることとなった場合において、その免税事業者となることとなった課税期間の初日の前日においてその前日の属する課税期間中に国内において譲り受けた課税仕入れ等に係る棚卸資産（※2）を有しているときは、その棚卸資産に係る消費税額（※3）は、その課税期間の仕入れに係る消費税額の計算の基礎となる課税仕入れ等の税額には含まれないものとする。

用語の意義

棚卸資産（法2①十五、令4）
　　商品、製品、その他の資産で棚卸をすべきものをいう。

Comment

● 1 や 2 の棚卸資産の税額は、変動や転用の調整税額と異なり、個別対応方式や一括比例配分方式により求めた税額（仕入れに係る消費税額）に加算するのではなく、これらの方法で税額を求める際に、課税仕入れ等の税額に棚卸資産の税額を加算した後でそれぞれの計算方法を適用させる（仕入れに係る消費税額を計算する）ため、「課税仕入れ等の税額とみなす」という表現が使われています。

● これに対し、4 では、対象となる棚卸資産に該当するものは当課税期間に行われた仕入れであり、本来課税仕入れ等の税額に含まれるべき税額をマイナスする計算であるため、「課税仕入れ等の税額に含まれない」という表現が使われています。

● 1 の（※1）の部分は、「納税義務の免除の特例」の規定の適用を受けて、相続等のあった課税期間の途中から課税事業者となるケース（詳細は、本書テーマ1−11～13を参照）において、課税期間の途中で課税事業者となったため、自身が保有する棚卸資産の調整が必要となったケースです。2 の被相続人等から引き継いだ棚卸資産に係る調整との違いに注意しましょう。

● 書類の保存の要件は、納税者に有利となる規定の適用に対してのみ義務付けられています。したがって、4 の減算調整の規定にはこの適用要件の規定はないことに注意しましょう。

11　中小事業者の仕入れに係る消費税額の控除の特例（簡易課税制度）🔊 応Ch11

1　簡易課税制度（法37①）❖❖❖

(1)　内　容

事業者（免税事業者及びその課税期間の初日において恒久的施設を有しない国外事業者を除く。）が、その納税地の所轄税務署長にその基準期間における課税売上高が5,000万円以下である課税期間について簡易課税制度選択届出書を提出した場合には、その届出書を提出した日の属する課税期間の翌課税期間（※1）以後の課税期間（※2）については、課税標準額に対する消費税額から控除することができる課税仕入れ等の税額の合計額は、原則にかかわらず、次の方法により計算した金額の合計額とする。

この場合において、その金額の合計額は、その課税期間における仕入れに係る消費税額とみなす。

> （※1）　一定の課税期間である場合には、その課税期間
> （※2）　基準期間における課税売上高が5,000万円を超える課税期間及び分割等に係る課税期間を除く。

(2)　計算方法

その課税期間の課税資産の譲渡等（特定資産の譲渡等に該当するもの及び輸出免税取引等を除く。）に係る課税標準である金額の合計額に対する消費税からその課税期間における売上げに係る対価の返還等の金額に係る消費税額の合計額を控除した残額にみなし仕入率を乗じて計算した金額

2　調整対象固定資産の仕入れ等を行った場合 ❖

(1)　調整対象固定資産の仕入れ等を行った場合（法37③）

1の適用を受けようとする事業者は、次のいずれかに該当するときは、それぞれに定める期間は、簡易課税制度選択届出書を提出することができない。

ただし、事業を開始した日の属する課税期間から1の適用を受けようとする場合には、この限りでない。

① 調整対象固定資産の仕入れ等を行った場合の課税事業者選択不適用届出書の提出制限を受けるとき

調整対象固定資産の仕入れ等の日の属する課税期間の初日から同日以後3年を経過する日の属する課税期間の初日の前日までの期間

② 新設法人又は特定新規設立法人の基準期間がない事業年度に含まれる各課税期間中に調整対象固定資産の仕入れ等を行ったとき

調整対象固定資産の仕入れ等の日の属する課税期間の初日から同日以後3年を

経過する日の属する課税期間の初日の前日までの期間
③　高額特定資産を取得した場合の納税義務の免除の特例に該当するとき（①、②に該当する場合を除く。）

　　高額特定資産の仕入れ等の日の属する課税期間の初日から同日（自己建設高額特定資産である場合にあっては、その自己建設高額特定資産の建設等が完了した日の属する課税期間の初日）以後3年を経過する日の属する課税期間の初日の前日までの期間
④　高額特定資産等について棚卸資産の調整措置の適用を受けることとなった場合の特例に該当するとき（①〜③に該当する場合を除く。）

　　高額特定資産である棚卸資産若しくは課税貨物又は調整対象自己建設高額資産について棚卸資産の調整措置の適用を受けた課税期間の初日から同日（その調整対象自己建設高額資産の建設等が調整適用日の前日までに完了していない場合にあっては、その建設等が完了した日の属する課税期間の初日）以後3年を経過する日の属する課税期間の初日の前日までの期間
⑤　その事業者が金地金等の仕入れ等を行った場合の特例の規定に該当するとき（①〜④に該当する場合を除く。）

　　その金地金等の仕入れ等を行った課税期間の初日から同日以後3年を経過する日の属する課税期間の初日の前日までの期間
(2)　提出がなかったものとみなす場合（法37④）

　　(1)の場合において、その調整対象固定資産の仕入れ等の日、その高額特定資産の仕入れ等の日若しくは棚卸資産の調整適用日の属する課税期間又は金地金等の仕入れ等を行った課税期間の初日からその仕入れ等の日までの間に簡易課税制度選択届出書をその納税地の所轄税務署長に提出しているときは、その届出書の提出はなかったものとみなす。

3　選択不適用の届出　❖❖❖

(1)　提　出（法37⑤）

　　簡易課税制度選択届出書を提出した事業者は、その規定の適用を受けることをやめようとするとき又は事業を廃止したときは、簡易課税制度選択不適用届出書をその納税地の所轄税務署長に提出しなければならない。
(2)　提出制限（法37⑥）

　　簡易課税制度選択届出書を提出した事業者は、事業を廃止した場合を除き、１の適用を受けることとなった課税期間の初日から2年を経過する日の属する課税期間の初日以後でなければ、簡易課税制度選択不適用届出書を提出することができない。
(3)　届出の効力（法37⑦）

　　簡易課税制度選択不適用届出書の提出があったときは、その提出があった日の属する課税期間の末日の翌日以後は、簡易課税制度の選択の届出は、その効力を失う。

4　宥恕規定（法37⑧、令57の2①②）❖❖

　事業者が、やむを得ない事情があるため簡易課税制度選択届出書又は簡易課税制度選択不適用届出書を [1] の適用を受けようとし、又は受けることをやめようとする課税期間の初日の前日（※1）までに提出できなかった場合において、その納税地の所轄税務署長の承認を受けたときは、これらの届出書をその課税期間の初日の前日にその税務署長に提出したものとみなす。

（※1）　一定の課税期間である場合には、その課税期間の末日

5　一定の課税期間（令56）❖

　一定の課税期間とは、次の課税期間とする。
(1)　事業者が国内において課税資産の譲渡等に係る事業を開始した日の属する課税期間
(2)　個人事業者が相続により簡易課税制度の適用を受けていた被相続人の事業を承継した日の属する課税期間（※1）
(3)　法人が吸収合併により簡易課税制度の適用を受けていた被合併法人の事業を承継した日の属する課税期間（※1）
(4)　法人が吸収分割により簡易課税制度の適用を受けていた分割法人の事業を承継した日の属する課税期間（※1）

（※1）　納税義務の免除の特例により納税義務が免除されないこととなる課税期間に限る

12 簡易課税制度の計算における みなし仕入率

応 ch11

1 みなし仕入率の原則（法 37①、令 57）❖❖

簡易課税制度を適用する場合のみなし仕入率は、次のそれぞれの割合とする。

(1) 第一種事業（卸売業） ・・・・・・・・・・・・・・・・・・ 90%
(2) 第二種事業（小売業等） ・・・・・・・・・・・・・・・・ 80%
(3) 第三種事業（製造業等） ・・・・・・・・・・・・・・・・ 70%
(4) 第四種事業（その他事業） ・・・・・・・・・・・・・ 60%
(5) 第五種事業（サービス業等） ・・・・・・・・・・・ 50%
(6) 第六種事業（不動産業） ・・・・・・・・・・・・・・・・ 40%

2 2種類以上の事業を営む場合（令 57）❖

(1) 原　則

売上げに係る消費税額のうちにそれぞれの事業に係る消費税額にそれぞれのみなし仕入率を乗じて計算した金額の合計額の占める割合とする。

(2) 特　例

次のそれぞれの場合には、それぞれに掲げる割合をみなし仕入率とすることができる。

① その課税期間の課税売上高のうちに**特定一事業の課税売上高の占める割合が75%以上である場合**には、その特定一事業の $\boxed{1}$ によるみなし仕入率

② その課税期間の課税売上高のうちに**特定二事業の課税売上高の占める割合が75%以上である場合**には、売上げに係る消費税額のうちに次の金額の合計額の占める割合

　イ その特定二事業のうち、$\boxed{1}$ によるみなし仕入率の高い事業の売上げに係る消費税額に $\boxed{1}$ によるみなし仕入率を乗じて計算した金額

　ロ 売上げに係る消費税額からイの事業に係る消費税額を控除した金額に特定二事業のうちみなし仕入率の低い事業の $\boxed{1}$ によるみなし仕入率を乗じて計算した金額

③ 事業者が、課税資産の譲渡等（特定資産の譲渡等に該当するものを除く。）について事業の種類ごとの区分をしていないものがある場合には、その区分をしていない事業のうち最も低いみなし仕入率の事業に係るものとして、みなし仕入率を適用する。

Comment

●このテーマは、簡易課税の論点の解答範囲の一部として捉えます。重要論点ではないため、$\boxed{1}$ の率だけ押さえ、余力があればその他の部分も押さえましょう。

3　税額控除等

13　簡易課税制度の適用がない分割等に係る課税期間

応 Ch11

1　分割等に係る課税期間（令 55）

　簡易課税制度の適用がない分割等に係る課税期間は、次の区分に応じ、それぞれの課税期間とする。

(1)　新設分割子法人

①　分割事業年度

　　分割等があった場合において、**新設分割親法人**（2 以上ある場合にはいずれか）の対応する期間の課税売上高（※1）が 5,000 万円を超える場合におけるその新設分割子法人のその**分割等があった日の属する事業年度に含まれる課税期間**

②　分割事業年度の翌事業年度

　　新設分割子法人の**その事業年度開始の日の 1 年前の日の前日からその事業年度開始の日の前日までの間に分割等があった場合**において、**新設分割親法人**（2 以上ある場合にはいずれか）の対応する期間の課税売上高（※1）が 5,000 万円を超える場合におけるその新設分割子法人の**その事業年度に含まれる課税期間**

③　分割事業年度の翌々事業年度以後

　　新設分割子法人の**その事業年度開始の日の 1 年前の日の前々日以前に分割等**（新設分割親法人が 2 以上ある場合のものを除く。）**があった場合**において、次の要件を満たすときにおけるその新設分割子法人の**その事業年度に含まれる課税期間**

イ　その事業年度の**基準期間の末日において新設分割子法人が特定要件に該当す**ること

ロ　その**新設分割子法人のその事業年度の基準期間における課税売上高**として一定の金額とその**新設分割親法人の対応する期間の課税売上高**（※1）の合計額が5,000 万円を超えること

　（※1）　新設分割子法人のその事業年度の基準期間に対応する期間における新設分割親法人の課税売上高として一定の金額をいう。

(2) 新設分割親法人

　　新設分割親法人の**その事業年度開始の日の１年前の日の前々日以前に分割等**（新設分割親法人が２以上ある場合のものを除く。）**があった場合**において、次の要件を満たすときにおけるその新設分割親法人の**その事業年度に含まれる課税期間**

①　その事業年度の**基準期間の末日において新設分割子法人が特定要件に該当すること**

②　**新設分割親法人のその事業年度の基準期間における課税売上高**とその**新設分割子法人の対応する期間の課税売上高**（※2）**との合計額が5,000万円を超えること**

> （※1）　新設分割親法人のその事業年度の基準期間に対応する期間における新設分割子法人の課税売上高として一定の金額をいう。

Comment

●簡易課税制度の適用の有無における基準期間における課税売上高5,000万円以下の判定の際、「分割等」以外の事業承継では承継した事業の売上高を考慮せず、基準期間の課税売上高のみで判定するのに対し、分割等については、納税義務の判定同様、引き継いだ事業も含めて適用の有無の判定を行うことを定めた規定です。

●内容のほとんどが「１−13 分割等があった場合の納税義務の免除の特例」の規定と同じ文章となっていますので、納税義務の規定を押さえた後で、違いを押さえれば効率よく押さえられます。

●テーマ３−12 と同様にこのテーマも簡易課税の論点の解答範囲の一部として捉えます。

●重要論点ではないため、余力がある場合に押さえていきましょう。

| 3 | 税額控除等 | 出題年度：H13・21・30 |

14　災害等があった場合の中小事業者の仕入れに係る消費税額の控除の特例の届出に関する特例　応Ch11

1　簡易課税制度選択届出に関する特例 ❖❖

(1) 内容（法 37 の 2 ①）

　　災害その他やむを得ない理由が生じたことにより被害を受けた事業者（免税事業者及び簡易課税制度の適用を受ける事業者を除く。）が、その被害を受けたことにより、選択被災課税期間につき簡易課税制度の適用を受けることが必要となった場合において、納税地の所轄税務署長の承認を受けたときは、簡易課税制度選択届出書をその承認を受けた選択被災課税期間の初日の前日にその税務署長に提出したものとみなす。

　　この場合において、調整対象固定資産の仕入れ等を行った場合の簡易課税制度選択届出書の提出制限の規定は、適用しない。

(2) 手続き（法 37 の 2 ②～⑤）

① (1)の承認を受けようとする事業者は、**一定の申請書を、その理由のやんだ日から 2 月以内**（※1）に、**納税地の所轄税務署長に提出しなければならない。**

② 税務署長は、その事情が相当でないと認めるときは、その申請を却下する。

③ 税務署長は、承認又は却下の処分をするときは、書面によりその旨を通知する。

④ ①の申請に係る選択被災課税期間の末日の翌日から 2 月を経過する日までに承認又は却下の処分がなかったとき（※2）は、その日においてその承認があったものとみなす。

> （※1）　その理由のやんだ日がその申請に係る選択被災課税期間の末日の翌日以後に到来する場合には、その選択被災課税期間に係る確定申告書の提出期限まで。
>
> （※2）　その理由のやんだ日がその申請に係る選択被災課税期間の末日の翌日以後に到来する場合には、この限りでない。

⑴ 内容（法 37 の 2 ⑥）

災害その他やむを得ない理由が生じたことにより被害を受けた事業者（簡易課税制度の適用を受ける事業者に限る。）が、その被害を受けたことにより、**不適用被災課税期間につき簡易課税制度の適用を受けることの必要がなくなった場合において、納税地の所轄税務署長の承認を受けたときは、簡易課税制度選択不適用届出書をその承認を受けた不適用被災課税期間の初日の前日にその税務署長に提出したものとみなす。**

この場合において、簡易課税制度選択不適用届出書の提出制限の規定は、適用しない。

⑵ 手続き（法 37 2 ⑦）

①⑵の規定は、⑴の適用がある場合について「**選択被災課税期間**」を「**不適用被災課税期間**」と読み替えて適用する。

用語 の意義

1 選択被災課税期間（法 37 の 2 ①）

災害その他やむを得ない理由の生じた日の属する課税期間で、基準期間における課税売上高が 5,000 万円を超える課税期間及び分割等に係る課税期間を除く課税期間をいう。

2 不適用被災課税期間（法 37 の 2 ⑥、令 57 の 3 ①）

災害その他やむを得ない理由の生じた日の属する課税期間（その課税期間の翌課税期間以後の課税期間のうち一定の課税期間を含む。）をいう。

なお、一定の課税期間とは、次の要件のすべてに該当する課税期間のうちいずれか一の課税期間とする。

⑴ 災害その他やむを得ない理由の生じた日からその理由のやんだ日までの間に開始した課税期間であること。

⑵ 災害その他やむを得ない理由の生じた日の属する課税期間において不適用の承認を受けていないこと。

⑶ 簡易課税制度選択不適用届出書の提出制限の適用を受ける課税期間であること。

《一定の課税期間とは…》

　簡易課税制度選択不適用届出に関する特例は、災害等の納税者の責めに帰さない事情による復旧費用等の増加に対し、簡易課税を適用することが不利となる状況に対応する救済措置です。

　そのため、適用の対象となる「不適用被災課税期間」には、復旧作業が遅れたり、長引いたりすることを考慮し、災害等が生じた課税期間だけでなく、翌課税期間以後を「不適用被災課税期間」とすることも認められています。ここでいう「一定の課税期間」とは、「不適用被災課税期間」として適用を受ける課税期間を翌課税期間以後にする場合における、その適用を受けたい翌課税期間以後の期間のことを指します。

　この「一定の課税期間」の対象として選択することができる課税期間は、次の3つの要件すべてを満たす課税期間です。

(1)　**災害その他やむを得ない理由の生じた日からその理由のやんだ日までの間に開始した課税期間であること**
　　→対象となる課税期間は、翌課税期間以後の期間であっても、災害の影響を受ける課税期間である必要があります。単に翌課税期間以後をすべて認めてしまうと、災害とは無関係の課税期間も適用対象期間に含まれてしまうため、このような制限を設けています。

(2)　**災害その他やむを得ない理由の生じた日の属する課税期間において不適用の承認を受けていないこと**
　　→この規定の原則どおり、災害等の生じた課税期間ですでに不適用の承認を受けている場合です。この一定の課税期間は、災害等の生じた課税期間で不適用の承認を受けずに、翌課税期間以後で承認を受ける規定ですので、原則どおり災害等の生じた課税期間で承認を受ける場合には一定の課税期間の適用対象からは除かれます。

(3)　**簡易課税制度選択不適用届出書の提出制限の適用を受ける課税期間であること**
　　→この規定自体が、届出書の提出制限の影響を受けて簡易課税制度を不適用とできない場合の特例措置として設けられた規定であるため、そもそも提出制限に影響なく不適用とできる場合には対象期間となりません。

Comment

●法37⑧による宥恕規定とこの法37の2の違いは、「やむを得ない事情が生じた時期」が、法37⑧の規定は「適用を受けたい課税期間の前課税期間」であり、この法37の2の規定は「適用を受けたい課税期間」であるという点です。

これは、法37⑧が、選択の意思判断は前課税期間までにできているものの、手続きのみができなかったことに対する救済措定であるのに対し、法37の2では、その課税期間中に起きた事象により、適用の有無に関する判断が、事象が起きる前とは変わってしまったこと（震災等により、営業ができなくなってしまった等）による選択の判断に対する救済規定であるという立法趣旨における違いがあるためです。

●災害等の事由が生じた場合であっても、簡易課税の適用を受けることができる事業者は、原則どおり基準期間における課税売上高が5,000万円以下の事業者に限られます。

●特殊な事情による例外的な即時適用を定めた規定であるため、申請による適用を受けようとする期間が届出書の提出制限の対象である期間であったとしても、提出制限の適用は受けません。

また、大規模な災害等を想定した規定であり、適用対象者が特定の地域で集中することも考えられるため、他の申請規定と異なり「自動承認」が定められています。

●2 (2)の簡易課税制度選択不適用届出に関する特例における手続き規定は、1 (2)の読み替えによる規定です。

そのため、事例問題などで2 の内容のみを記載する際は、読み替える部分を書き換えて1 (2)を記載します。

15　売上げに係る対価の返還等をした 場合の消費税額の控除

重要　🔊　基Ch 8

1　売上げに係る対価の返還等をした場合（法38①）❖❖❖

　事業者（免税事業者を除く。）が、国内において行った課税資産の譲渡等（特定資産の譲渡等に該当するもの及び輸出免税取引等を除く。以下同じ。）につき、売上げに係る対価の返還等（※1）をした場合には、その売上げに係る対価の返還等をした日の属する課税期間の課税標準額に対する消費税額から売上げに係る対価の返還等の金額に係る消費税額（※2）の合計額を控除する。

> （※1）　返品、値引き、割戻しによる課税資産の譲渡等の税込価額の全部若しくは一部の返還又はその税込価額に係る売掛金等の全部若しくは一部の減額をいう。
>
> （※2）　その返還等をした税込価額に110分の7.8（その売上げに係る対価の返還等が軽減税率の適用を受けるものである場合には、108分の6.24）を乗じて算出した金額をいう。

2　帳簿の保存等 ❖❖❖

(1) 帳簿の保存等（法38②）

　1の規定は、事業者がその売上げに係る対価の返還等をした金額の明細を記録した帳簿を保存しない場合には、その保存がない部分に係る消費税額については適用しない。

　ただし、災害その他やむを得ない事情によりその保存をすることができなかったことを証明した場合はこの限りでない。

(2) 保存期間（令58②）

　(1)の事業者は、記録した帳簿を整理し、これをその閉鎖の日の属する課税期間の末日の翌日から2月を経過した日から7年間、納税地又は事務所等の所在地に保存しなければならない。

(3) 記載事項等（令58①）

　1の適用を受けようとする事業者は、次の事項を帳簿に整然と、かつ、明瞭に記録しなければならない。

① 売上げに係る対価の返還等を受けた者の氏名又は名称（※1）

② 売上げに係る対価の返還等を行った年月日

③ 売上げに係る対価の返還等に係る課税資産の譲渡等に係る資産又は役務の内容（軽減税率が適用されるものである場合には、その資産の内容と軽減税率が適用される旨）

④　税率の異なるごとに区分した売上げに係る対価の返還等をした**金額**

3　相続、合併、分割があった場合（法38③④）

⑴　相続により事業を承継した**相続人が被相続人により行われた課税資産の譲渡等につき売上げに係る対価の返還等をした場合には**、その相続人が行った課税資産の譲渡等につき売上げに係る対価の返還等をしたものとみなして、⬜１及び⬜２を適用する。

⑵　⑴の規定は、合併、分割の場合において準用する。

Comment

● 消費税法における４つの税額控除の規定は、共通して以下のような文章構成となっています。（仕入れに係る消費税額の控除は、一部異なっています。）

> 〔主　　語〕　事業者（免税事業者を除く。）が、
>
> 〔適用要件〕　（それぞれの要件）〜の場合において、〜のときは、
>
> 〔結　　論〕　（それぞれの事由）をした日の属する課税期間の 課税標準額に対する消費税額 から
> （それぞれの税額）の 合計額 を控除する。

この文章の構成を意識しながら、それぞれの規定の違いを押さえていきましょう。なお、結論部分の表現は、差引税額の計算で課税標準額に対する消費税額から控除税額小計（４つの税額の合計）をマイナスするイメージです。

● 売上げに係る対価の返還等の意義⬜１（※1）の中にある「返還」とは、現金等で直接返金することであり、「減額」とは、請求書を発行し、掛け売上げなどを行う場合に、全体の請求金額から売上返還に該当する部分を減額することを指します。

● 記載事項における「不特定多数の者」とは、消費者を指します。小売業などの消費者に商品の販売等を行う事業では、相手の氏名等を認識しませんので、記載を要しません。ここでいう帳簿は、総勘定元帳や卸売業者などが作成する取引先元帳のイメージです。

16　特定課税仕入れに係る対価の返還等を受けた場合の消費税額の控除　応ch1

1　特定課税仕入れに係る対価の返還等を受けた場合の消費税額の控除（法38の2①）❖❖

　　事業者（免税事業者を除く。）が、国内において行った特定課税仕入れにつき、**特定課税仕入れに係る対価の返還等**（※1）を受けた場合には、その特定課税仕入れに係る対価の返還等を受けた日の属する課税期間の課税標準額に対する消費税額からその課税期間における特定課税仕入れに係る対価の返還等を受けた金額に係る消費税額（※2）の合計額を控除する。

> （※1）　値引き、割戻しによる、その特定課税仕入れに係る支払対価の額の全部若しくは一部の返還又はその特定課税仕入れに係る支払対価の額に係る買掛金等の債務の額の全部若しくは一部の減額をいう。
> （※2）　その返還を受けた金額又は減額を受けた債務の額に100分の7.8を乗じて算出した金額をいう。

2　帳簿の保存等 ❖❖

(1)　帳簿の保存（法38の2②）

　　1 の規定は、事業者がその特定課税仕入れに係る対価の返還等を受けた金額の明細を記録した**帳簿を保存しない**場合には、その**保存がない部分に係る消費税額**については、**適用しない**。

　　ただし、災害その他やむを得ない事情によりその保存をすることができなかったことを証明した場合はこの限りでない。

(2)　保存期間（令58の2②）

　　(1)の事業者は、記録した帳簿を整理し、これをその**閉鎖の日の属する課税期間の末日の翌日から2月を経過した日から7年間**、**納税地又は事務所等の所在地**に保存しなければならない。

(3)　記載事項等（令58の2①）

　　1 の適用を受けようとする事業者は、次の事項を帳簿に整然と、かつ、明瞭に記録しなければならない。

① 特定課税仕入れに係る対価の返還等を**した者の氏名又は名称**
② 特定課税仕入れに係る対価の返還等を**受けた年月日**
③ 特定課税仕入れに係る対価の返還等の**内容**
④ 特定課税仕入れに係る対価の返還等を**受けた金額**
⑤ 特定課税仕入れに係る対価の返還等である**旨**

3 相続、合併、分割があった場合（法38の2③④）

(1) 相続により事業を承継した**相続人が被相続人により行われた特定課税仕入れにつき、特定課税仕入れに係る対価の返還等を受けた場合**には、その相続人が行った特定課税仕入れにつき、特定課税仕入れに係る対価の返還等を受けたものとみなして①及び②を適用する。

(2) (1)の規定は、合併、分割の場合において準用する。

| 3 | 税額控除等 | 出題年度：Ｈ２・12 |

17　貸倒れに係る消費税額の控除等

重要　基 Ch 9

1　貸倒れに係る消費税額の控除（法39①）❖❖❖

　事業者（免税事業者を除く。）が国内において**課税資産の譲渡等**（特定資産の譲渡等に該当するもの及び輸出免税取引等を除く。以下同じ。）を行った場合において、その課税資産の譲渡等の相手方に対する売掛金その他の債権につき一定の事実が生じたため、その課税資産の譲渡等の税込価額の全部又は一部を領収することができなくなったときは、その領収することができないこととなった日の属する課税期間の課税標準額に対する消費税額から、その領収することができなくなった課税資産の譲渡等の税込価額に係る消費税額（※1）の合計額を控除する。

> （※1）　その税込価額に110分の7.8（その税込価額が軽減税率が適用されるものである場合には，108分の6.24）を乗じて算出した金額。

2　書類の保存 ❖❖❖

(1)　**書類の保存**（法39②）

　　1の規定は、事業者がその債権につき一定の事実が生じたことを証する**書類**を保存しない場合には、適用しない。

　　ただし、災害その他やむを得ない事情によりその保存をすることができなかったことを証明した場合は、この限りでない。

(2)　**保存期間**（規9）

　　1の適用を受けようとする事業者は、(1)の書類を整理し、その領収をすることができないこととなった日の属する課税期間の末日の翌日から2月を経過した日から**7年間**、納税地又は事務所等の所在地に保存しなければならない。

3　償却債権取立益に係る消費税額（法39③）❖❖

　1の適用を受けた事業者が貸倒れとなった課税資産の譲渡等の税込価額の全部又は一部の領収をしたときは、その領収をした税込価額に係る消費税額を課税資産の譲渡等に係る消費税額とみなして、その事業者のその領収をした日の属する課税期間の課税標準額に対する消費税額に加算する。

4 相続、合併、分割があった場合（法39④⑤⑥）

(1) 相続により事業を承継した相続人がある場合において、被相続人により行われた課税資産の譲渡等に係る債権についてその相続があった日以後に $\boxed{1}$ が適用される事実が生じたときは、その相続人がその課税資産の譲渡等を行ったものとみなして、$\boxed{1}$ 及び $\boxed{2}$ を適用する。

(2) 相続により事業を承継した相続人が、被相続人について $\boxed{1}$ が適用された課税資産の譲渡等の税込価額の全部又は一部を領収した場合には、その相続人が $\boxed{1}$ の適用を受けたものとみなして、$\boxed{3}$ を適用する。

(3) (1)及び(2)の規定は、合併、分割の場合において準用する。

5 一定の事実（法39①、令59）❖❖❖

(1) 更生計画認可の決定により債権の切捨てがあったこと。

(2) 再生計画認可の決定により債権の切捨てがあったこと。

(3) 特別清算に係る協定の認可の決定により債権の切捨てがあったこと。

(4) 債務者の財産の状況、支払能力等からみてその債務の全額を弁済できないことが明らかであること。

(5) 上記に準ずる一定の事実

Comment

● 貸倒れに係る消費税額の控除の規定も売上返還と同様に税額控除の規定であるため、同じような文章構成となっています。（詳しくは、テーマ３−15を確認してください。）

● 貸倒れの規定は、回収の場合（償却債権取立益）の取扱いもあるため、相続等の場合の承継に関する規定が２つあることに注意しましょう。

● 債権の一部が貸倒れとなった場合にも規定の適用はありますので、「全部又は一部を」という部分を落とさないようにしましょう。なお、債権の一部が貸倒れた場合には、その貸倒れた一部分を控除の対象債権の税込価額として計算します。

● 書類の保存や償却債権取立益（控除過大調整税額）の規定は、他のテーマでもある論点ですので、他の規定と比較しながら押さえましょう。

| 4 | 申告、納付、還付等 | 出題年度：H30・R6 |

1　課税資産の譲渡等及び特定課税仕入れについての中間申告

基 Ch14

| 1 | 原則 ❖❖ |

(1)　一月中間申告（法 42①、措令 46 の 4）

①　内容

事業者（免税事業者を除く。）は、一月中間申告対象期間の末日の翌日（※1）から 2 月以内に、一定の事項を記載した**申告書を税務署長に提出**しなければならない。

（※1）　その期間がその課税期間開始の日以後 1 月（個人事業者の場合には 2 月）の期間である場合には、その課税期間開始の日から 2 月（個人事業者の場合には 3 月）を経過した日。

②　適用除外

①の規定は、次のいずれかに該当する場合には適用しない。

イ　その課税期間の**直前の課税期間**の確定申告書に記載すべき確定消費税額で一月中間申告対象期間の末日（一定の場合には、一定の日）までに確定したものをその**直前の課税期間の月数で除して計算した金額が 400 万円以下**である場合

ロ　課税期間を短縮している場合

ハ　次のいずれかの課税期間に該当する場合

(イ)　個人事業者の事業を開始した日の属する課税期間

(ロ)　法人の 3 月を超えない課税期間

(ハ)　法人（合併により設立されたものを除く。）の設立の日の属する課税期間

③　一月中間申告対象期間

その課税期間開始の日以後 1 月ごとに区分した各期間（最後の期間を除く。）をいう。

(2)　三月中間申告（法 42④）

①　内容

事業者（免税事業者を除く。）は、三月中間申告対象期間の末日の翌日から 2 月以内に、一定の事項を記載した**申告書を税務署長に提出**しなければならない。

②　適用除外

①の規定は、次のいずれかに該当する場合には適用しない。

イ　その課税期間の直前の課税期間の確定申告書に記載すべき確定消費税額で三月中間申告対象期間の末日までに確定したものをその**直前の課税期間の月数で除し、これに 3 を乗じて計算した金額が 100 万円以下**である場合

ロ　課税期間を短縮している場合

ハ　次のいずれかの課税期間に該当する場合

　　　(イ)　個人事業者の事業を開始した日の属する課税期間

　　　(ロ)　法人の３月を超えない課税期間

　　　(ハ)　法人（合併により設立されたものを除く。）の設立の日の属する課税期間

　　ニ　一月中間申告の適用を受ける期間を含む期間である場合

　③　三月中間申告対象期間

　　その課税期間開始の日以後３月ごとに区分した各期間（最後の期間を除く。）を
いう。

(3)　六月中間申告（法42⑥）

　①　内容

　　事業者（免税事業者を除く。）は、六月中間申告対象期間の末日の翌日から２月
以内に、一定の事項を記載した申告書を税務署長に提出しなければならない。

　②　適用除外

　　①の規定は、次のいずれかに該当する場合には適用しない。

　　イ　その課税期間の直前の課税期間の確定申告書に記載すべき確定消費税額で六
　　　月中間申告対象期間の末日までに確定したものをその直前の課税期間の月数で
　　　除し、これに６を乗じて計算した金額が24万円以下である場合

　　ロ　課税期間を短縮している場合

　　ハ　次のいずれかの課税期間に該当する場合

　　　(イ)　個人事業者の事業を開始した日の属する課税期間

　　　(ロ)　法人の６月を超えない課税期間

　　　(ハ)　法人（合併により設立されたものを除く。）の設立の日の属する課税期間

　　ニ　一月中間申告又は三月中間申告の適用を受ける期間を含む期間である場合

　③　六月中間申告対象期間

　　その課税期間開始の日以後６月の期間

2	任意中間申告 ♣

(1)　内　容（法42⑧）

　　1 (3)②イに掲げる金額が24万円以下であることによりその六月中間申告対象期
間につき、六月中間申告書を提出することを要しない事業者が、六月中間申告書を
提出する旨を記載した届出書を納税地の所轄税務署長に提出した場合には、その届
出書の提出をした事業者のその提出をした日以後にその末日が最初に到来する六月
中間申告対象期間以後の六月中間申告対象期間（※1）については、1 (3)②適用除
外の規定は、適用されない。

　(※1)　　1 (1)(3)②イに掲げる金額が24万円以下であるものに限る。以下(4)において
　　　　同じ。

⑵　任意中間申告の不適用の届出（法42⑨）

　　⑴の規定による届出書を提出した事業者は、その規定の**適用をやめようとすると**き又は事業を廃止したときは、その旨を記載した届出書をその納税地の所轄税務署長に提出しなければならない。

⑶　届出の効力（法42⑩）

　　⑵の規定による届出書の提出があったときは、その**提出があった日以後にその末日が最初に到来する六月中間申告対象期間以後の六月中間申告対象期間**については、⑴の規定による届出は、その効力を失う。

⑷　不適用届出書の提出があったものとみなされる場合（法42⑪）

　　⑴の届出書の提出をした事業者が、その提出をした日以後にその末日が最初に到来する六月中間申告対象期間以後の六月中間申告対象期間に係る**六月中間申告書**をその提出期限までに提出しなかった場合には、その事業者は⑵の届出書をその六月中間申告対象期間の末日に納税地の所轄税務署長に提出したものとみなす。

3　仮決算をした場合（法43）❧

⑴　内　容

　　中間申告書を提出すべき事業者が、**中間申告対象期間を一課税期間とみなして、**その**中間申告対象期間に係る課税標準額**（※1）その他一定の事項を計算した場合には、その提出する中間申告書に、**原則の記載事項に代えて、これらを記載すること**ができる。

> （※1）　課税標準額とは、課税資産の譲渡等に係る税率の異なるごとに区分した課税標準である金額の合計額及び特定課税仕入れに係る課税標準である金額の合計額並びにそれらの合計額をいう。

⑵　添付書類

　　⑴の中間申告書には、その中間申告対象期間中の資産の譲渡等の対価の額及び課税仕入れ等の税額の明細その他の事項を記載した書類を添付しなければならない。

4　中間申告書の提出がない場合の特例（法44）❧

　　中間申告書を提出すべき事業者がその中間申告書をその提出期限までに提出しなかった場合（※1）には、その提出期限において、税務署長に 1 による申告書の提出があったものとみなす。

> （※1）　 2 ⑷の適用を受ける場合を除く。

5　納　付（法48）♣

　中間申告書を提出した者は、中間納付税額があるときは、その**申告書の提出期限**までに、その消費税額を**国に納付**しなければならない。

6　申告義務の承継（法59）

　相続があった場合には**相続人は被相続人の**、法人が合併した場合には**合併法人は被合併法人の中間申告の義務を**、それぞれ**承継する**。

7　災害等による期限の延長により中間申告書の提出を要しない場合（法42の2）

　国税通則法の規定による災害等による申告期限の延長により、中間申告書の提出期限とその中間申告書に係る確定申告書の提出期限とが同一の日となる場合は、原則にかかわらず、その中間申告書を提出することを要しない。

Comment
- 中間申告の規定は、原則の3つの申告の異なる部分を押さえながら、まとめて押さえると効率よく押さえられます。
- 法人のその課税期間の月数が「3月を超えない」場合には、一月中間申告、三月中間申告ともに適用除外となるのに対し、六月中間申告だけは「6月を超えない」場合に適用除外となります。
- 三月中間申告や六月中間申告の適用除外の「～を含む期間である場合」という表現は、その中間申告対象期間の中で、金額判定の結果、別の区分の中間申告対象期間と重複する期間がある場合を指します。「直前の確定消費税額に変更があった場合」の計算内容を思い出しながら押さえましょう。

2　課税資産の譲渡等及び特定課税仕入れについての確定申告

基 Ch12

| 1 | 課税資産の譲渡等及び特定課税仕入れについての確定申告 |

(1)　内　容（法 45①）❖❖❖

事業者（免税事業者を除く。）は、課税期間ごとに、その**課税期間の末日の翌日か ら2月以内**に、一定の事項を記載した**申告書を税務署長に提出しなければならない**。

ただし、**国内における課税資産の譲渡等**（特定資産の譲渡等に該当するもの及び輸出免税取引等を除く。以下同じ。）**及び特定課税仕入れがなく、かつ、差引税額がない課税期間**については、この限りではない。

(2)　添付書類（法 45⑤）❖❖

確定申告書には、その課税期間中の資産の譲渡等の対価の額及び課税仕入れ等の税額の明細その他の事項を記載した**書類を添付しなければならない**。

(3)　提出期限の特例 ❖❖

①　個人事業者の特例（措法 86 の 4①）

個人事業者のその年の 12 月 31 日の属する課税期間に係る確定申告書の提出期限は、その年の**翌年 3 月 31 日**とする。

②　確定申告書の提出期限までに死亡した場合（法 45②）

確定申告書を提出すべき個人事業者がその課税期間の末日の翌日からその申告書の提出期限までの間にその申告書を提出しないで死亡した場合には、その相続人は、その相続の開始があったことを知った日の翌日から 4 月以内に、税務署長にその申告書を提出しなければならない。

③　課税期間の中途に死亡した場合（法 45③

個人事業者が課税期間の中途に死亡した場合において、その者のその課税期間分の消費税について確定申告書を提出しなければならないときは、その相続人は、その相続の開始があったことを知った日の翌日から 4 月以内に、税務署長にその申告書を提出しなければならない。

④　残余財産が確定した場合（法 45④）

清算中の法人につきその残余財産が確定した場合には、残余財産の確定の日の属する課税期間の末日の翌日から 1 月以内（※1）に、税務署長にその申告書を提出しなければならない。

> （※1）　その翌日から 1 月以内に残余財産の最後の分配等が行われる場合には、その行われる日の前日まで。

⑤　法人の確定申告書の提出期限の特例（法 45 の 2①）

(1)の申告書（以下「消費税申告書」という。）を提出すべき法人（法人税法の確定申告書の提出期限の延長の特例の規定の適用を受ける法人に限る。）が、消費税

申告書の提出期限を延長する旨を記載した届出書をその納税地の所轄税務署長に提出した場合には、その提出をした日の属する事業年度以後の各事業年度終了の日の属する課税期間に係る消費税申告書の提出期限については、その課税期間の末日の翌日から３月以内とする。

(4) 申告書の記載事項（法45①）❖

① 課税標準額（※2）

② 税率の異なるごとに区分した課税標準額に対する消費税額

③ ②から控除されるべき次の消費税額の合計額

　イ　仕入れに係る消費税額

　ロ　売上げに係る対価の返還等の金額に係る消費税額

　ハ　特定課税仕入れに係る対価の返還等を受けた金額に係る消費税額

　ニ　貸倒れに係る消費税額

④ 差引税額

⑤ 控除不足還付税額

⑥ 納付税額

⑦ 中間納付還付税額

⑧ 上記金額の計算の基礎その他一定の事項

> （※2）　課税標準額とは、課税資産の譲渡等に係る税率の異なるごとに区分した課税標準である金額の合計額及び特定課税仕入れに係る課税標準である金額の合計額並びにそれらの合計額をいう。

2　納　付（法49）❖❖

確定申告書を提出した者は、**差引税額**（又は、納付税額）**があるときは、その申告書の提出期限までに、その消費税額を国に納付しなければならない。**

3　還　付（法52①、53①）

確定申告書の提出があった場合において、**控除不足還付税額又は中間納付還付税額があるときは、税務署長は、これらの申告書を提出した者に対し、これらの税額を還付する。**

4　申告義務の承継（法59）

相続があった場合には**相続人は被相続人の、法人が合併した場合には合併法人は被合併法人の確定申告の義務を、それぞれ承継する。**

Comment

●確定申告の適用除外に関する規定は、①課税資産の譲渡等及び特定課税仕入れがない、②差引税額がないの2つの要件をともに満たす場合であり、「還付となる場合＝申告不要の場合」とはならないことに注意しましょう。

●添付書類は、課税売上割合や控除対象仕入税額が正しく算定されていることを確認するための書類であるため、課税売上割合の算定に必要な「資産の譲渡等の対価の額」、控除対象仕入税額の算定に必要な「課税仕入れ等の税額」に関する明細を記載する必要があります。

●「相続の開始があったことを知った日」とは、通常は被相続人の死亡日を指しますが、失踪等により相続人が相続の開始を知り得た日が死亡日と異なることもあります。
　納税義務等の計算規定と異なり、申告規定は具体的な手続きを伴う規定であり、起算日を「相続があった日」とすることは納税者にとって不合理となることも考えられるため、このような表現を用いています。

●納付は「国」に対して行うのに対し、還付は「税務署長」が行います。

〈理論必勝法〉問題の解き方①
～いよいよ試験。で、まず何するの？～

　暗記も進み、いよいよ理論の問題を解いていくという段階になると、「暗記はできたのに何を書いたらいいのかぜんぜんわからない…」という壁にぶつかることがあります。

　試験は、出題者とのキャッチボールですから、問われていることに対して答えていなければ、理論用紙を何枚書いても合格点はとれません。

　そこで、理論用紙に書き出す前にまず行うべきことを見ていきましょう。

手順1　問題文を探そう！

　このところ、消費税法の理論の問題文は、見開き1ページというパターンが多く、問題文を読むだけで5分や10分経ってしまうことも、このほとんどが、書かせたい内容に係る状況設定の説明部分なのですが、これらは読解に時間がかかるので、「どこを読み取るべきなのか」を意識して読まないと、何度も読み直すこととなってしまいます。

　そこで、頭からむやみに読まずに、まず「問題文にあたる部分」を探します。これは「～について述べなさい。」という部分をキーワードに探していけばすぐに見つかります。ここで、「～の手続について述べなさい。」であれば、長い文章の中から必要な手続きに的を絞って読み進めればいいのですから、的を絞らずに読むより理解度が高くなります。「～の名称、提出時期、理由を～」というように、複数の項目を答えさせる問題もありますので、問題文にアンダーラインを引くなど、まず答えるべき内容を意識しましょう。

手順2　解答範囲を考えよう！

　問題文の読み取りができたら、答案用紙に記載する内容を検討します。

　本試験の出題として、個別論点の出題も未だに多い反面、規定を書かずとも自分なりに概要説明をきちんと書けば充分合格点は取れる問題も増えてきています。また、一見個別論点に見えても、よく読んでみると様々なテーマをピックアップして体系的な説明をしなければならない応用論点の問題であることもあります。理論用紙にいきなり書き始める前に何を書くべきかを問題の余白などで一度整理してから書き出しましょう。特に応用論点では、理論集の様々な部分から何が必要かを整理しないと、必要な部分が漏れてしまうので、この整理が合格点をとるためのカギとなります。

手順3　時間配分を考えよう！

　理論の問題は例年2題出題され、1題のみの解答で合格点がとれることはありません。手順2で何を書くべきか整理できたら、おおよその時間を2題に振り分け、それぞれに使える時間を意識しながら書き出しましょう。

4	申告、納付、還付等	出題年度：R3

3　電子情報処理組織による申告の特例

基 Ch12

1　電子情報処理組織による申告の特例（法 46 の 2）

(1)　申告の特例

　　特定法人である事業者（免税事業者を除く。）は、納税申告書等により行うこととされ、又はこれに添付書類を添付して行うこととされている課税資産の譲渡等（特定資産の譲渡等に該当するものを除く。）及び特定課税仕入れに対する消費税の申告については、申告書記載事項又は添付書類記載事項をあらかじめ税務署長に届け出て行う電子情報処理組織を使用する方法として一定の方法により提供することにより、行わなければならない。

(2)　特定法人

　　(1)に規定する特定法人とは、次の事業者をいう。

①　事業年度開始の時における資本金の額、出資の金額その他これらに類するものとして一定の金額が1億円を超える法人（外国法人を除く。）

②　保険業法に規定する相互会社

③　投資信託及び投資法人に関する法律に規定する投資法人（①の法人を除く。）

④　資産の流動化に関する法律に規定する特定目的会社（①の法人を除く。）

⑤　国又は地方公共団体

(3)　関係法令の適用

　　(1)により行われた申告については、申告書記載事項が記載された納税申告書等により、又はこれに添付書類記載事項が記載された添付書類を添付して行われたものとみなして、消費税法等の規定を適用する。

2　電子情報処理組織による申告が困難である場合の特例（法 46 の 3）

(1)　電子情報処理組織による申告が困難である場合の特例

　　①(1)の事業者が、電気通信回線の故障、災害その他の理由により電子情報処理組織を使用することが困難であると認められる場合で、かつ、①(1)を適用しないで納税申告書等を提出することができると認められる場合において、①(1)を適用しないで納税申告書等を提出することについてその納税地の所轄税務署長の承認を受けたときは、その税務署長が指定する期間内に行う①(1)の申告については、①(1)の規定は適用しない。

⑵　申　請
　①　申請書の提出
　　　⑴の承認を受けようとする事業者は、一定の事項を記載した申請書に一定の書類を添付して、その**指定を受けようとする期間の開始の日の 15 日前までに**、これをその**納税地の所轄税務署長に提出**しなければならない。
　②　却　下
　　　税務署長は、①の申請書の提出があった場合において、その申請に係る事情が相当でないと認めるときは、その申請を却下することができる。
　③　通　知
　　　税務署長は、①の申請書の提出があった場合において、その申請につき承認又は却下の処分をするときは、その申請をした事業者に対し、書面によりその旨を通知する。

用語の意義

1　**納税申告書等（法 46 の 2 ①）**
　　中間申告書若しくは確定申告書等若しくはこれらの申告書に係る修正申告書をいう。
2　**電子情報処理組織（法 46 の 2 ①）**
　　国税庁の使用に係る電子計算機とその申告をする事業者の使用に係る電子計算機とを電気通信回線で接続した電子情報処理組織をいう。

| 4 | 申告、納付、還付等 |

4　還付を受けるための申告

基 Ch13

1　還付を受けるための申告 ❖❖

(1)　内　容（法 46①）

　　事業者（免税事業者を除く。）は、その課税期間分の消費税につき**控除不足還付税額又は中間納付還付税額**がある場合には、確定申告書を提出すべき義務がない場合においても、これらの税額の**還付を受けるため**、一定の事項を記載した**申告書**を税務署長に提出することができる。

(2)　添付書類（法 46③）

　　還付を受けるための申告書には、その課税期間中の資産の譲渡等の対価の額及び課税仕入れ等の税額の明細その他の事項を記載した**書類を添付しなければならない。**

(3)　個人事業者が死亡した場合（法 46②）

　　個人事業者が課税期間の中途において死亡した場合において、その者のその課税期間分の消費税について(1)の申告書を提出することができる場合に該当するときは、その相続人は、税務署長にその申告書を提出することができる。

(4)　申告書の記載事項（法 45①）

①　課税標準額（※1）

②　税率の異なるごとに区分した課税標準額に対する消費税額

③　②から控除されるべき次の消費税額の合計額

　　イ　仕入れに係る消費税額

　　ロ　売上げに係る対価の返還等の金額に係る消費税額

　　ハ　特定課税仕入れに係る対価の返還等を受けた金額に係る消費税額

　　ニ　貸倒れに係る消費税額

④　差引税額

⑤　控除不足還付税額

⑥　納付税額

⑦　中間納付還付税額

⑧　上記金額の計算の基礎その他一定の事項

　　（※1）　課税標準額とは、課税資産の譲渡等に係る率率の異なるごとに区分した
　　　　　　課税標準である金額の合計額及び特定課税仕入れに係る課税標準である
　　　　　　金額の合計額並びにそれらの合計額をいう。

2 ｜ 還　付（法 52①、53①）

　　還付を受けるための申告書の提出があった場合において、**控除不足還付税額又は中間納付還付税額があるとき**は、**税務署長**は、これらの**申告書を提出した者に対し、こ**れらの税額を還付する。

Comment

● 「還付を受けるための申告」は法 45 の義務的確定申告の対象とならない者が還付を受けるために任意に提出する申告書に関する規定です。語尾の「できる」を意識して押さえましょう。

● 「還付を受けるための申告」は、任意申告のみを指す用語ですが、これに対し、「還付申告」という用語は、この「還付を受けるための申告」のみならず、義務的確定申告における還付申告（義務はあるものの計算結果として還付となる場合）も含まれますので、両者の使い分けに注意しましょう。

● 還付を受けるための申告は、任意規定であるため、確定申告と違い提出期限はありません。

● 1(2)の添付書類及び(4)の申告書の記載事項は、確定申告におけるこれらの規定と内容は同じです。これは、申告の位置付けが上記のように異なるものの、実際に提出する用紙は同一のものを使用するためです。

5　引取りに係る課税貨物についての申告等　基Ch15

1　申告 ✤

(1)　申告納税方式

① 一般申告の場合（法47①）

　関税法に規定する申告納税方式が適用される課税貨物を保税地域から引き取ろうとする者は、他の法律等により消費税を免除されるべき場合を除き、次の事項を記載した申告書を税関長に提出しなければならない。

イ　課税貨物の品名並びに品名ごとの数量、課税標準額及び税率

ロ　課税標準額に対する消費税額及びその消費税額の合計額

ハ　その他一定の事項

② 特例申告に係る申告期限の特例（法47③）

　課税貨物につき関税法に規定する特例申告を行う場合には、その課税貨物に係る申告書の提出期限は、その課税貨物の引取りの日の属する月の翌月末日とする。

(2)　賦課課税方式（法47②）

　関税法に規定する賦課課税方式が適用される課税貨物を保税地域から引き取ろうとする者は、他の法律等により消費税を免除されるべき場合を除き、次の事項を記載した申告書を税関長に提出しなければならない。

① 課税貨物の品名並びに品名ごとの数量及び課税標準額

② その他一定の事項

2　申告義務の承継（法59）

　相続があった場合には相続人は被相続人の、合併があった場合には合併法人は被合併法人の特例申告の義務を、それぞれ承継する。

3　納付等

(1)　納付及び徴収 ✤

① 申告納税方式（法50①）

　1(1)の申告書を提出した者は、その課税貨物を保税地域から引き取る時（特例申告書を提出する場合には、その申告書の提出期限）までに、その申告書に記載した消費税額を国に納付しなければならない。

② 賦課課税方式（法50②）

　　保税地域から引き取られる①(2)の課税貨物に係る消費税は、その保税地域の所在地の所轄税関長がその引取りの際徴収する。

(2) 納期限の延長 ❖❖

① 個別延長方式（法51①）

　　申告納税方式が適用される課税貨物を保税地域から引き取ろうとする者（特例申告書を提出する者を除く。②において同じ。）が、①(1)の申告書を提出した場合において、その申告書に記載した消費税額の納期限に関し、延長を受けたい旨の申請書を税関長に提出し、かつ、担保を提供したときは、その税関長は、その消費税額がその担保の額を超えない範囲内において、その納期限を3月以内に限り延長することができる。

② 包括延長方式（法51②）

　　申告納税方式が適用される課税貨物を保税地域から引き取ろうとする者が、特定月において課されるべき消費税の納期限に関し、特定月の前月末日までに延長を受けたい旨の申請書を税関長に提出し、かつ、担保を提供したときは、その税関長は、特定月における消費税の累計額がその担保の額を超えない範囲内において、その納期限を特定月の末日の翌日から3月以内に限り延長することができる。

③ 特例延長方式

イ 特例輸入者（法51③）

　　特例輸入者が、特例申告書をその提出期限までに提出した場合において、その特例申告書に記載した消費税額の納期限に関し、その特例申告書の提出期限までに延長を受けたい旨の申請書を税関長に提出したときは、その税関長は、その消費税については、その納期限を2月以内に限り延長することができる。この場合において、その税関長は、消費税の保全のために必要があると認めるときは、その特例輸入者に対し、その特例申告書に記載した消費税額に相当する額の担保の提供を命ずることができる。

ロ 特例委託輸入者（法51④）

　　特例委託輸入者が、特例申告書をその提出期限までに提出した場合において、その特例申告書に記載した消費税額の納期限に関し、その特例申告書の提出期限までに延長を受けたい旨の申請書を税関長に提出し、かつ、担保を提供したときは、その税関長は、その消費税額がその担保の額を超えない範囲内において、その納期限を2月以内に限り延長することができる。

Comment

●このテーマのうち①、②は申告に関する規定であり、③は納付に関する規定です。

●申告納税方式は、納税者自らが納付すべき税額を計算する制度であり、賦課課税方式は課税する側が税額を確定させる制度です。そのため、申告納税方式による申告は、記載事項として「消費税額」が挙げられますが、賦課課税方式では「消費税額」は挙げないことに注意しましょう。

6　更正の請求

基 Ch16

1　国税通則法の原則（国通法 23①）✤

　納税申告書を提出した者は、次のいずれかの理由に該当する場合には、その申告書に係る法定申告期限から 5 年以内に限り、税務署長に対し、更正の請求をすることができる。

⑴　その申告書に記載した課税標準等の計算が国税に関する法律の規定に従っていなかったこと又は計算に誤りがあったことにより、その申告に係る納付すべき税額が過大であるとき

⑵　⑴の理由により、その申告に係る還付金の額が過少であるとき、又はその記載がなかったとき

2　国税通則法の特則（国通法 23②）

　納税申告書を提出した者又は決定を受けた者は、次のいずれかの理由に該当するときには、その理由等が生じた日の翌日から 2 月以内（※1）に限り、税務署長に対し、更正の請求をすることができる。

⑴　その申告等に係る課税標準等の計算の基礎となった事実に関する訴えについての判決等により、その事実がその計算の基礎としたところと異なることが確定したとき

⑵　その申告等に係る課税標準等の計算にあたって、その申告等をした者に帰属するものとされていた所得等が他の者に帰属するものとするその他の者に係る国税の更正又は決定があったとき

⑶　その他法定申告期限後に生じた⑴又は⑵に類するやむを得ない理由があるとき

　　（※1）　納税申告書を提出した者については 1 の期限後に到来する場合に限る。

3　消費税法の特例（法 56①②）✤✤

　次のそれぞれの理由に該当する場合には、その修正申告書を提出した日等の翌日から 2 月以内に限り、税務署長に対し、更正の請求をすることができる。

⑴　課税資産の譲渡等に係る特例

　　確定申告書等に記載すべき一定の金額につき、修正申告書を提出し又は更正等を受けた者が、その修正申告書の提出等に伴い、これらに係る課税期間後の各課税期間で決定を受けた課税期間に係る納付すべき税額が過大又は還付金の額が過少となる場合

(2) 課税貨物に係る特例

　　課税貨物に係る申告書に記載すべき一定の金額につき、修正申告書を提出し又は更正等を受けた者が、その修正申告書の提出等に伴い、これらに係る課税期間で決定を受けた課税期間に係る納付すべき税額が過大又は還付金の額が過少となる場合

4　手続等（国通法 23③〜⑤、法 56①②）

(1)　更正の請求をしようとする者は、その請求に係る更正前及び更正後の課税標準等又は税額等、その更正の請求理由等を記載した**更正請求書を税務署長に提出しなければならない。**

(2)　**税務署長は、**更正の請求があった場合には、その請求について調査し、**更正をし、又は更正をすべき理由がない旨をその請求した者に通知する。**

(3)　**税務署長は、**更正の請求があった場合においても、原則としてその請求に係る**納付すべき消費税の徴収を猶予しない。**

5　輸入品に係る更正の請求（国通法 23⑥）

　　輸入品に係る申告消費税等についての**更正の請求は、税関長に対し、するものとする。**

Comment

●更正の請求は、国税通則法で定められた税額の是正に関する規定であり、消費税法では、消費税における特有の事情を考慮し、国税通則法における各規定では考慮できない部分について、特例を設けています。

●①の原則の適用上、更正の請求期間の起算日が「法定申告期限」からとなっていますが、これは、国税通則法における起算日に関する規定において「初日不算入」という考え方があり、原則、期間の初日を起算日としません。
　したがって、実際には、申告期限の翌日から起算され、請求期限は5年後の申告期限と同日になります。

●③の消費税法の特例は、過去の確定申告書等に係る修正申告書を提出したことや更正処分などを受けたことに伴い、その後の課税期間で決定を受けた税額が当初の申告税額よりも減少するケースです。
　このうち(1)は、過去の「確定申告」の修正等に影響され、その課税期間後の税額が変更されたケースであり、(2)は、過去の「課税貨物の申告」の修正等に影響され、その課税貨物の申告に係る課税期間の税額が変更されたケースであるという違いがあります。

●⑤は、課税貨物の申告に係る更正の請求についての所轄官庁に関する規定であり、上記③や④との関連性はありません。

5　雑則、その他の規定

1　適格請求書発行事業者の登録等

応 Ch15

1　適格請求書発行事業者の登録（法57の2①）❖❖

　国内において課税資産の譲渡等を行い、又は行おうとする事業者であって、適格請求書の交付をしようとする事業者（免税事業者を除く。）は、税務署長の登録を受けることができる。

2　適格請求書発行事業者の申請

⑴　事業者の申請（法57の2②、令70の2）❖

　1の登録を受けようとする事業者は、一定の事項を記載した申請書をその納税地の所轄税務署長に提出しなければならない。この場合において、免税事業者が、課税事業者となる課税期間の初日から1の登録を受けようとするときは、その課税期間の初日から起算して15日前の日までに、その申請書をその税務署長に提出しなければならない。

⑵　登録の拒否（法57の2⑤）

　税務署長は、1の登録を受けようとする事業者が、次に掲げる場合の区分に応じそれぞれに定める事実に該当すると認めるときは、その登録を拒否することができる。

①　その事業者が特定国外事業者（国内において行う資産の譲渡等に係る事務所、事業所その他これらに準ずるものを国内に有しない国外事業者をいう。以下同じ。）以外の事業者である場合には、次に掲げるいずれかの事実

　イ　納税管理人を定めるべき事業者が納税管理人の届出をしていないこと。

　ロ　その事業者が、消費税法に違反して罰金以上の刑に処せられ、その執行を終わり、又は執行を受けることがなくなった日から2年を経過しない者であること。

②　その事業者が特定国外事業者である場合には、次に掲げるいずれかの事実

　イ　消費税に関する税務代理の権限を有する税務代理人がないこと。

　ロ　その事業者が納税管理人の届出をしていないこと。

　ハ　現に国税の滞納があり、かつ、その滞納額の徴収が著しく困難であること。

　ニ　その事業者が、1の登録を取り消され、その取消しの日から1年を経過しない者であること。

　ホ　その事業者が、消費税法に違反して罰金以上の刑に処せられ、その執行を終わり、又は執行を受けることがなくなった日から2年を経過しない者であること。

⑶ 登録（法57の2③）✣

　　税務署長は、⑴の申請書の提出を受けた場合には、遅滞なく、これを審査し、⑵により登録を拒否する場合を除き、$\boxed{1}$ の登録をしなければならない。

3 適格請求書発行事業者の取消し（法57の2⑥）✣

　　税務署長は、次に掲げる適格請求書発行事業者が⑴又は⑵の事実に該当すると認めるときは、その適格請求書発行事業者に係る $\boxed{1}$ の登録を取り消すことができる。

⑴　**特定国外事業者以外の事業者である適格請求書発行事業者**は、次に掲げるいずれかの事実

①　その適格請求書発行事業者が **1年以上所在不明** であること。

②　その適格請求書発行事業者が **事業を廃止したと認められる** こと。

③　その適格請求書発行事業者(法人に限る。)が **合併により消滅したと認められる** こと。

④　その適格請求書発行事業者が **納税管理人の届出をしていない** こと。

⑤　その適格請求書発行事業者がこの **消費税法に違反して罰金以上の刑に処せられた** こと。

⑥　**虚偽の記載をして** $\boxed{2}$ ⑴の申請書を提出し、その申請に基づき $\boxed{1}$ の登録を受けた者であること。

⑵　**特定国外事業者である適格請求書発行事業者**は、次に掲げるいずれかの事実

①　その適格請求書発行事業者が **事業を廃止したと認められる** こと。

②　その適格請求書発行事業者(法人に限る。)が **合併により消滅したと認められる** こと。

③　その適格請求書発行事業者の確定申告書の提出期限までに、その申告書に係る **消費税に関する税務代理の権限を有することを証する書面が提出されていない** こと。

④　その適格請求書発行事業者が **納税管理人の届出をしていない** こと。

⑤　消費税につき **期限内申告書の提出がなかった** 場合において、その提出がなかったことについて正当な理由がないと認められること。

⑥　現に **国税の滞納** があり、かつ、その滞納額の徴収が著しく困難であること。

⑦　当該適格請求書発行事業者がこの **消費税法に違反して罰金以上の刑に処せられた** こと。

⑧　**虚偽の記載をして** $\boxed{2}$ ⑴の申請書を提出し、その申請に基づき $\boxed{1}$ の登録を受けた者であること。

⑶　税務署長は、登録の取消しを行ったとき、又は $\boxed{7}$ の規定により $\boxed{1}$ の登録がその効力を失ったときは、その登録を抹消しなければならない。この場合において、税務署長は、その登録が取り消された又はその効力を失った旨及びその年月日を速やかに公表しなければならない。

4　適格請求書発行事業者の公表（法57の2④）✤

　　1の登録は、適格請求書発行事業者登録簿に氏名又は名称、登録番号その他の一定の事項を登載してするものとする。この場合において、税務署長は、その適格請求書発行事業者登録簿に登載された事項を速やかに公表しなければならない。

5　通知（法57の2⑦）✤

　　税務署長は、1の登録又は2(2)、3の処分をするときは、その登録又は処分に係る事業者に対し、書面によりその旨を通知する。

6　登載事項の変更✤

⑴　届出書の提出（法57の2⑧）

　　適格請求書発行事業者は、4に規定する適格請求書発行事業者登録簿に登載された事項に変更があったときは、その旨を記載した届出書を、速やかに、その納税地の所轄税務署長に提出しなければならない。

⑵　変更の登録（法57の2⑨）

　　税務署長は、⑴の規定による届出書の提出を受けた場合には、遅滞なく、その届出に係る事項を適格請求書発行事業者登録簿に登載して、変更の登録をするものとする。この場合において、税務署長は、その変更後の適格請求書発行事業者登録簿に登載された事項を速やかに公表しなければならない。

7　登録の失効（法57の2⑩）✤

　　適格請求書発行事業者が、次に掲げる場合に該当することとなった場合には、それぞれに定める日に、1の登録は、その効力を失う。

⑴　その適格請求書発行事業者が1の登録の取消しを求める旨の届出書をその納税地の所轄税務署長に提出した場合

　　その提出があった日の属する課税期間の末日の翌日

⑵　その適格請求書発行事業者が事業を廃止した場合

　　事業を廃止した日の翌日

⑶　その適格請求書発行事業者である法人が合併により消滅した場合

　　その法人が合併により消滅した日

2　適格請求書発行事業者の義務

応 Ch15

1　適格請求書の交付義務（法57の4①）❖❖

　適格請求書発行事業者は、国内において課税資産の譲渡等（特定資産の譲渡等及び輸出免税取引等を除く。以下同じ。）を行った場合（みなし譲渡及び工事の請負に係る資産の譲渡等その他一定の取引を除く。）において、その課税資産の譲渡等を受ける他の事業者（免税事業者を除く。以下同じ。）から ② に掲げる事項を記載した請求書、納品書その他これらに類する書類（以下「適格請求書」という。）の交付を求められたときは、その課税資産の譲渡等に係る適格請求書をその他の事業者に交付しなければならない。ただし、その適格請求書発行事業者が行う事業の性質上、適格請求書を交付することが困難な課税資産の譲渡等として一定の取引を行う場合は、この限りでない。

2　適格請求書の記載事項（法57の4①）❖❖

⑴　適格請求書発行事業者の氏名又は名称及び登録番号
⑵　課税資産の譲渡等を行った年月日（又は取引の対象となる期間）
⑶　課税資産の譲渡等に係る資産又は役務の内容（軽減対象課税資産の譲渡等である場合には、資産の内容及び軽減対象課税資産の譲渡等である旨）
⑷　課税資産の譲渡等に係る税抜価額又は税込価額を税率の異なるごとに区分して合計した金額及び適用税率
⑸　消費税額等
⑹　書類の交付を受ける事業者の氏名又は名称

3　適格請求書の交付義務が免除される取引（令70の9②）❖❖

⑴　公共交通機関である船舶、バス又は鉄道等による旅客の運送（税込価額が3万円未満のものに限る。）
⑵　卸売市場及び協同組合等による一定の委託販売
⑶　⑴、⑵のほか、適格請求書を交付することが著しく困難な課税資産の譲渡等

4　適格簡易請求書の記載事項（法57の4②）❖❖

　① の規定の適用を受ける場合において、① の適格請求書発行事業者が国内において行った課税資産の譲渡等が小売業その他の一定の事業に係るものであるときは、適格請求書に代えて、次に掲げる事項を記載した請求書、納品書その他これらに類する書類（適格簡易請求書）を交付することができる。
⑴　適格請求書発行事業者の氏名又は名称及び登録番号
⑵　課税資産の譲渡等を行った年月日
⑶　課税資産の譲渡等に係る資産又は役務の内容（軽減対象課税資産の譲渡等である

場合には、資産の内容及び軽減対象課税資産の譲渡等である旨）

⑷　課税資産の譲渡等に係る**税抜価額又は税込価額を税率の異なるごとに区分して合計した金額**

⑸　**消費税額等又は適用税率**

5　適格返還請求書の記載事項（法57の4③）✿

　売上げに係る対価の返還等を行う適格請求書発行事業者は、その売上げに係る対価の返還等を受ける他の事業者に対して、次に掲げる事項を記載した請求書、納品書その他これらに類する書類（**適格返還請求書**）を交付しなければならない。ただし、その適格請求書発行事業者が行う事業の性質上その売上げに係る対価の返還等に際し適格返還請求書を交付することが困難な課税資産の譲渡等を行う場合、その売上げに係る対価の返還等の金額が少額である場合その他の一定の場合は、この限りでない。

⑴　**適格請求書発行事業者の氏名**又は**名称及び登録番号**

⑵　**売上げに係る対価の返還等を行う年月日**及びその売上げに係る対価の返還等に係る**課税資産の譲渡等を行った年月日**

⑶　売上げに係る対価の返還等に係る課税資産の譲渡等に係る**資産又は役務の内容**（軽減対象課税資産の譲渡等である場合には、資産の内容及び軽減対象課税資産の譲渡等である旨）

⑷　売上げに係る対価の返還等に係る**税抜価額又は税込価額を税率の異なるごとに区分して合計した金額**

⑸　売上げに係る対価の返還等の金額に係る**消費税額等又は適用税率**

6　修正適格請求書等の交付（法57の4④）✿

　適格請求書、適格簡易請求書又は適格返還請求書を交付した**適格請求書発行事業者**は、これらの書類の**記載事項**に誤りがあった場合には、これらの書類を交付した他の事業者に対して、**修正**した**適格請求書、適格簡易請求書又は適格返還請求書を交付**しなければならない。

7　電磁的記録の提供（法57の4⑤）✿✿

　適格請求書発行事業者は、適格請求書、適格簡易請求書又は適格返還請求書の交付に代えて、これらの書類に記載すべき事項に係る電磁的記録を提供することができる。この場合において、その電磁的記録として提供した事項に誤りがあった場合には、6の規定を準用する。

8　保存期間（法57の4⑥、令70の13）✿✿

　適格請求書等を交付した適格請求書発行事業者は，その適格請求書等の写しを整理し，その**交付した日の属する課税期間の末日の翌日から2月を経過した日から7年間**、これを**納税地又は事務所等の所在地**に保存しなければならない。この場合において、電磁的記録の保存については、一定の方法によるものとする。

3　小規模事業者の納税義務の免除が適用されなくなった場合等の届出

応Ch17

1　納税義務の免除が適用されなくなった場合等の届出（法57）

　事業者が次に該当することとなった場合には、それぞれの者は、それぞれの届出書を**速やかに**納税地の所轄税務署長に提出しなければならない。

(1) **消費税課税事業者届出書**
　　免税事業者が課税事業者となることとなった場合（特定期間における課税売上高が1,000万円を超える場合、相続、合併、分割があった場合の納税義務の免除の特例により課税事業者となった場合を含む。）
　　　‥‥‥ **その事業者**

(2) **消費税の納税義務者でなくなった旨の届出書**
　　課税事業者が免税事業者となることとなった場合（課税事業者選択届出書を提出している場合を除く。）
　　　‥‥‥ **その事業者**

(3) **事業廃止届出書**
　　事業者（免税事業者を除く。）が事業を廃止した場合
　　　‥‥‥ **その事業者**

(4) **個人事業者の死亡届出書**
　　個人事業者（免税事業者を除く。）が死亡した場合
　　　‥‥‥ **その死亡した個人事業者の相続人**

(5) **合併による法人の消滅届出書**
　　法人（免税事業者を除く。）が合併により消滅した場合
　　　‥‥‥ **その合併に係る合併法人**

(6) **消費税の新設法人（又は特定新規設立法人）に該当する旨の届出書**
　　事業者が新設法人（又は特定新規設立法人）に該当することとなった場合
　　　‥‥‥ **その事業者**

Comment
- これらの届出書は、それぞれのケースに該当する場合に提出するものであり、提出義務はあるものの、提出しなかったときの罰則等はありません。
- 規定をすべて押さえる余裕がないときは、各届出の名称だけでも押さえておきましょう。なお、(1)の「課税事業者届出書」と「課税事業者選択届出書」は間違えやすいため注意しましょう。
- 規定の内容などを記載する際は、届出書の名称の「消費税～」の部分を省略して記載しても問題ありませんが、届出書の名称そのものを問われる問題では、正確な名称を解答しましょう。

〈理論必勝法〉問題の解き方②
～消費税の取扱いとは？～

　消費税の計算では取引分類が最重要テーマであり、筆者個人としては、「取引分類を制する者が本試験を制する。」と言っても過言ではないと信じています。

　なぜなら、実務では優秀な計算ソフトが1本あれば誰でも簡単に申告書を作成することができますが、その前提となる取引の分類は、日々行われる取引を自分で分類しなければならず、これを間違えてしまえばどんな優秀なソフトで計算しても間違った申告となってしまうからです。税理士試験は、皆さんに税理士として申告書を正確に作成できる能力があるのかを試す試験ですから、当然そこは重点をおいて出題する必要があります。

　この傾向は近年、理論の問題でも表れ、事例形式の問題で「取扱い」を述べさせる問題が増えています。

　この「取扱い」は、規定そのものを聞いているというよりも、「取引分類を聞いている問題」と捉えた方がわかりやすいです。消費税の学習で誰もがまず初めに行う分類だけの問題。あの問題の解答（7.8%課税取引、免税取引、課税仕入れなど…）を出すためのプロセスを用語を使って説明すればいいのです。

　たとえば、取引の分類が免税取引に該当するとします。

　免税取引と判断するに至ったプロセスは、「課税の対象に含まれる → 非課税に含まれない → 課税取引に該当 → 輸出取引等に該当」の順ですから、この順番で文章にします。

　平成28年の本試験問題を例に見ていきましょう。

内国法人である当社は、鞄・靴販売を営み国内に支店を有する外国企業からの依頼を受け、国内の市場調査を行いました。この市場調査は、国内に新たな事業（教育産業ビジネス）を展開するためのものであることから、直接、国外の本社と契約を締結しており、調査報告書も本社に対して、データ伝送をしています。

（課税の対象）役務の提供に係る事務所等の所在地が国内であることから国内取引に該当するので課税の対象
（非課税）非課税取引（13の取引）に該当しない → （課税取引）
（免税）外国の本社と契約、調査報告書も本社に対してデータ転送 → 国内において直接便益を享受するもの以外のもの → 輸出取引等

　このような取引の分類過程を文章で書いていけば「取扱い」となります。

　取扱いの問題は普段から解答練習をしておくことで、飛躍的に力が付く部分です。練習方法としては、取引分類の問題について、上記のような過程の説明を文章で書いてみましょう。解答は、解説部分を読むと取引の判断の流れが記載してありますので確認できます。これは、頭の中で普段から訓練しておくだけでも効果的ですから、数多くの問題を使ってチャレンジしてみましょう。

4　国、地方公共団体等に対する仕入れに係る消費税額の控除の特例

重要　応 ch13

1　仕入れに係る消費税額の特例（法60④、令75③④）

(1)　内容　✤✤✤

　国若しくは地方公共団体の特別会計、別表第三に掲げる法人又は人格のない社団等（免税事業者を除く。）が課税仕入れ等を行った場合において、その課税仕入れ等の日の属する課税期間において特定収入があり、かつ、特定収入割合が5％を超えるときは、簡易課税制度の適用を受ける場合を除き、その課税期間の課税標準額に対する消費税額から控除することができる課税仕入れ等の税額の合計額は、一定の方法により計算した金額とする。

　この場合において、その金額は、その課税期間における仕入れに係る消費税額とみなす。

(2)　計算方法　✤✤

　(1)の場合における課税仕入れ等の税額の合計額は、原則の規定により計算した課税仕入れ等の税額の合計額から特定収入に係る課税仕入れ等の税額を控除した残額に相当する金額とする。

(3)　特定収入に係る課税仕入れ等の税額　✤

　次のそれぞれの金額とする。

① 　全額控除の場合

　　イとロの合計額

　イ　課税仕入れ等に係る特定収入の合計額$\times \dfrac{7.8}{110}\left(又は\dfrac{6.24}{108}\right)$

　ロ　（課税仕入れ等の税額の合計額－イ）×調整割合

② 　個別対応方式の場合

　　イからハの合計額

　イ　$\left(\begin{array}{l}課税資産の譲渡等にのみ要する \\ 課税仕入れ等に係る特定収入の合計額\end{array}\right)\times\dfrac{7.8}{110}\left(又は\dfrac{6.24}{108}\right)$

　ロ　$\left(\begin{array}{l}課税資産の譲渡等とその他の資産の \\ 譲渡等に共通して要する \\ 課税仕入れ等に係る特定収入の合計額\end{array}\right)\times\dfrac{7.8}{110}\left(又は\dfrac{6.24}{108}\right)\times$課税売上割合

　ハ　（課税仕入れ等の税額の合計額－（イ＋ロ））×調整割合

③ 　一括比例配分方式の場合

　　イとロの合計額

　イ　課税仕入れ等に係る特定収入の合計額$\times\dfrac{7.8}{110}\left(又は\dfrac{6.24}{108}\right)\times$課税売上割合

　ロ　（課税仕入れ等の税額の合計額－イ）×調整割合

2　控除しきれない場合（法60⑤）❖

　1 の場合において、原則の規定により計算した課税仕入れ等の税額の合計額から特定収入に係る課税仕入れ等の税額を控除して**控除しきれない金額があるときは**、その控除しきれない金額を、課税資産の譲渡等に係る消費税額とみなして、その課税期間の課税標準額に対する消費税額に加算する。

用語の意義

1　特定収入（法60④）
　資産の譲渡等の対価以外の収入（借入金等一定のものを除く。）をいう。

2　特定収入割合（令75③）
　その課税期間の資産の譲渡等の対価の額の合計額に特定収入の合計額を加算した金額のうちにその特定収入の合計額の占める割合をいう。

3　調整割合（令75①一ロ）
　その課税期間の資産の譲渡等の対価の額の合計額に課税仕入れ等に係る特定収入以外の特定収入の合計額を加算した金額のうちにその課税仕入れ等に係る特定収入以外の特定収入の合計額の占める割合をいう。

Comment

- 国等の特例のうち、この仕入れに係る消費税額の控除の特例は、計算の出題はあまりないものの理論では頻出論点ですので、確実に押さえておく必要があります。
- この規定も変動や転用の規定のように主語、適用要件、結論（計算上の取扱い）の順に構成されています。
- 主語となる適用対象事業者は、国等の特例規定の中でも最も多いため、正確に押さえましょう。
- 適用要件は、①特定収入がある②特定収入割合が5％超③簡易課税制度の適用を受けないの3つです。
- 本試験では、特定収入に係る課税仕入れ等の税額の各計算方法を記載する必要がないケースも多いため、1 の(1)(2)までは正確に押さえましょう。

5　国、地方公共団体等に対する その他の特例

応ch13

1　事業単位の特例 （法60①、令72①）

国若しくは地方公共団体の一般会計又は特別会計については、その**一般会計又は特別会計ごとに一の法人が行う事業とみなして**、消費税法の規定を適用する。

ただし、専ら一般会計に対して資産の譲渡等を行う特別会計については、一般会計とみなす。

2　資産の譲渡等の時期等の特例 （法60②③、令73、74）❖

国、地方公共団体、別表第三に掲げる法人（一定の承認を受けたものに限る。）が行った取引については、**資産の譲渡等はその対価を収納すべき会計年度の末日において、課税仕入れ及び課税貨物の保税地域からの引取りはその費用の支払いをすべき会計年度の末日**においてそれぞれ行われたものとすることができる。

3　一般会計の特例 （法60⑥⑦）

⑴　税額控除

国又は地方公共団体の一般会計については、**課税標準額に対する消費税額から控除することができる消費税額の合計額は、その課税標準額に対する消費税額と同額とみなす**。

⑵　申告義務等

国又は地方公共団体の一般会計については、**一定の申告、届出等の規定は、適用しない**。

4　申告期限の特例 （法60⑧、令76）❖❖

国若しくは**地方公共団体の特別会計又は別表第三に掲げる法人**（※1）の確定申告書の提出期限については、同規定中の「2月以内」とあるのを次のそれぞれに読み替えて適用する。

⑴　国……5月以内

⑵　地方公共団体（⑶を除く。）……6月以内

⑶　一定の地方公共団体の経営する企業……3月以内

⑷　別表第三に掲げる法人（※1）……6月以内で税務署長の承認する期間内

なお、中間申告書の提出期限等についても一定の特例がある。

> （※1）　一定の承認を受けたものに限る。

Comment

●国等に関する規定は、規定ごとに適用対象者が異なることに注意しましょう。

●これらの規定は、「国等に対する特例」という分類でまとめたものですが、それぞれの規定をこれまで学習したテーマごとに分類すると、1は「納税義務者」、2は「資産の譲渡等の時期」、4は「確定申告」の特例規定と、それぞれ考えることもできます。

応用理論を考える際は、「国等」というテーマでの出題だけでなく、これらのテーマが出題された際に、解答範囲になり得るかを検討する必要があります。

6　事業者の義務

1　特定資産の譲渡等を行う事業者の義務（法 62）

　国内において特定資産の譲渡等（国内において他の者が行う特定課税仕入れに該当するものに限る。）を行う事業者は、特定資産の譲渡等に際し、あらかじめ、その特定資産の譲渡等に係る特定課税仕入れを行なう事業者が消費税を納める義務がある旨を表示しなければならない。

2　価格の表示の義務（法 63）

　事業者（免税事業者を除く。）は、不特定多数の者に課税資産の譲渡等（特定資産の譲渡等に該当するもの及び輸出免税取引等を除く。）を行う場合（※1）において、あらかじめ課税資産の譲渡等に係る資産又は役務の価格を表示するときは、その資産又は役務に係る消費税額等を含めた価格を表示しなければならない。

　（※1）　専ら他の事業者に課税資産の譲渡等を行う場合を除く。

Comment
- ●２の規定は、値札やメニュー、広告等に商品やサービスの価格を記す際、事業者がその価格を税込金額で表示することを義務付けた規定です。
- ●なお、この規定は不特定多数の者に価格を表示する場合に限定されていますので、請負契約の契約書など特定の者に価格を表示する場合は除かれます。

〈理論必勝法〉さいごに…
～いざ、本試験へ～

　試験当日。「書けなかったらどうしよう…」理論については、そう誰もが不安に思うことでしょう。どれだけたくさん勉強してきたとしても、1年に1度しかない税理士試験では、この日に100%の結果が出せなければ、今までの努力がすべて水の泡に。そんなことにならないためにも、ここでは、本試験直前における注意点などについて時系列でお話ししていきましょう。

（試験1週間前）どこまで覚えるかを決めておこう！

　理論集の理論は、出題頻度から100%完璧に覚えておきたい理論と、ある程度の内容が記載できれば問題ない理論とがあります。しかし、理論集の理論を何題覚えたとしても、本試験に実際に出題された2題の理論が書けなければ当然合格はできません。

　では、各テーマに記載される「重要」ってどういった意味なのかというと、ヒントはこの試験が相対評価の試験だということにあります。

　つまり、「重要」の部分は、出題頻度も高く、専門学校等でも対策が練られている論点で、相対的に覚えている人が多い論点ということなのです。ですから、当然出題されたときに他の人よりも高い点数を取るということは、より完璧さを求められるわけです。

　これに対し、重要度が低い理論は、完璧に押さえている人がより少なくなる論点ですので、仮に出題されたらある程度の内容で充分合格点がとれる可能性があるということなのです。

　とはいえ、試験ですからとんでもない強者も多く、「理論集なんて全部覚えてます！」という人も稀にいます。もちろん自分もそこまでできれば問題ありませんが、こういった人に気をとられて不安に陥らないようにするためにも、「ここまで覚える」という自分自身の目標を決めて、その目標だけに向かって学習を進めましょう。この1週間は、自分のペースをいかに守れるかがカギとなります。

（試験前日）確認は読むだけで

　筆者の本試験における失敗談として、前日に理論を書く練習をしてしまったということがあります。本試験は、理論用紙を最低でも5枚程度は記載するため、かなりの手の疲労を伴います。前日は、軽く読んで確認しておくだけにしましょう。

（試験当日）何が何でもあきらめない！

　問題を開いた瞬間、覚えていない理論が出題されていたら…当然誰でも焦って頭が真っ白になります。「あのとき見ておけば…」そんな反省と焦りで頭がいっぱいになります。

　こんなときこそ、落ち着いて考えましょう。「なぜ、覚えていないのか？」

　そうです。あなたが完璧に書けない理論は、みんなも完璧に書けない理論のはずです。

　それさえわかれば、後はとにかく自分の知っている範囲で答案用紙を埋めていきましょう。「最後まであきらめないこと」こそ、この試験の合格への最大の秘訣なのです！

7 定義

1 国内（法2①一）

消費税法の施行地をいう。

2 事業者（法2①三、四）❖❖❖

個人事業者（事業を行う個人をいう。）及び法人をいう。

3 国外事業者（法2①四の二）

非居住者である個人事業者及び外国法人をいう。

4 人格のない社団等（法2①七、法3）

法人でない社団又は財団で代表者又は管理人の定めがあるものをいう。

なお、人格のない社団等は、法人とみなして、消費税法を適用する。

5 資産の譲渡等（法2八）❖❖❖

事業として対価を得て行われる資産の譲渡及び貸付け並びに役務の提供（※1）をいう。

（※1）　代物弁済による資産の譲渡その他対価を得て行われる資産の譲渡若しくは貸付け又は役務の提供に類する行為として一定のものを含む。

6 特定資産の譲渡等（法2①八の二）

事業者向け電気通信利用役務の提供及び特定役務の提供をいう。

7 電気通信利用役務の提供（法2①八の三）❖

資産の譲渡等のうち、電気通信回線を介して行われる著作物の提供その他の電気通信回線を介して行われる役務の提供（電話、電信その他の通信設備を用いて他人の通信を媒介する役務の提供を除く。）であって、他の資産の譲渡等の結果の通知その他の資産の譲渡等に付随して行われる役務の提供以外のものをいう。

8　事業者向け電気通信利用役務の提供（法2①八の四）❖

　国外事業者が行う電気通信利用役務の提供のうち、その電気通信利用役務の提供に係る役務の性質又はその役務の提供に係る取引条件等からその役務の提供を受ける者が通常事業者に限られるものをいう。

9　特定役務の提供（法2①八の五）

　資産の譲渡等のうち、国外事業者が行う演劇その他の一定の役務の提供（電気通信利用役務の提供に該当するものを除く。）をいう。

10　課税資産の譲渡等（法2①九）❖❖❖

　資産の譲渡等のうち、国内取引の非課税の規定により消費税を課さないこととされるもの以外のものをいう。

11　軽減対象課税資産の譲渡等（法2①九の二）❖❖❖

　課税資産の譲渡等のうち、次に掲げるものをいう。
⑴　**飲食料品**（食品表示法に規定する食品（**酒類を除く。**以下「食品」という。）をいい、食品と食品以外の資産が一の資産を形成し、又は構成しているもののうち一定の資産を含む。以下同じ。）**の譲渡**（次に掲げる課税資産の譲渡等は、**含まないものとする。**）
　　①　**飲食店業その他の一定の事業を営む者が行う食事の提供**（テーブル、椅子、カウンターその他の飲食に用いられる設備のある場所において飲食料品を飲食させる役務の提供をいい、その飲食料品を持帰りのための容器に入れ、又は包装を施して行う譲渡は、含まないものとする。）
　　②　**課税資産の譲渡等の相手方が指定した場所において行う加熱、調理又は給仕等の役務を伴う飲食料品の提供**（有料老人ホームその他の人が生活を営む場所として一定の施設において行う一定の飲食料品の提供を除く。）
⑵　一定の題号を用い、政治、経済、社会、文化等に関する一般社会的事実を掲載する**新聞**（1週に2回以上発行する新聞に限る。）**の定期購読契約**（その新聞を購読しようとする者に対して、その新聞を定期的に継続して供給することを約する契約をいう。）**に基づく譲渡**

12　外国貨物（法2①十）

　輸出の許可を受けた貨物及び外国から本邦に到着した貨物で輸入の許可がされる前のものをいう。

13 課税貨物（法2①十一）❖❖

保税地域から引き取られる外国貨物のうち、輸入取引の非課税の規定により消費税を課さないこととされるもの以外のものをいう。

14 軽減対象課税貨物（法2①十一の二）❖

課税貨物のうち、飲食料品に該当するものをいう。

15 課税仕入れ（法2①十二）❖❖❖

事業者が、事業として他の者から資産を譲り受け、若しくは借り受け、又は役務の提供（※1）を受けること（※2）をいう。

（※1）　所得税法に規定する給与等を対価とする役務の提供を除く。

（※2）　その他の者が事業としてその資産を譲り渡し、貸し付け、又は役務の提供をしたとした場合に課税資産の譲渡等（輸出免税取引等を除く。）に該当することとなるものをいう。

16 基準期間（法2①十四）❖❖

個人事業者についてはその年の前々年をいい、法人についてはその事業年度の前々事業年度（※1）をいう。

（※1）　その前々事業年度が1年未満である場合には、その事業年度開始の日の2年前の日の前日から1年を経過する日までの間に開始した各事業年度を合わせた期間

17 調整対象固定資産（法2①十六、令5）❖❖

棚卸資産以外の資産で建物、構築物その他の資産のうち、その資産に係る課税仕入れ（特定課税仕入れを除く。）に係る支払対価の額の110分の100に相当する金額、その資産に係る特定課税仕入れに係る支払対価の額又は保税地域から引き取られるその資産の課税標準である金額が、一の取引単位につき100万円以上のものをいう。

Comment

●近年本試験問題では、事例などの問題を出題する際、まずそれに関係する用語の意義が問われることが多いため、代表的な用語については、押さえておく必要があります。

●各テーマごとのページでの用語の意義では、押さえやすいように要約等していますが、このテーマでは、各用語について、なるべく条文に近い形で掲載しておりますので余裕があれば正確に押さえておきましょう。

8　租税特別措置法における免税

基Ch 4

1　外航船等に積み込む物品の譲渡等に係る免税（措法85①）

　指定物品の譲渡を行う事業者（免税事業者を除く。）又は指定物品を保税地域から引き取る者が、外航船等（※1）に船用品又は機用品として積み込むため、税関長の承認を受けた指定物品を譲渡し、又は保税地域から引き取る場合には、その外航船等への積込みを輸出とみなして、消費税を免除する。

　　（※1）　本邦と外国との間を往来する本邦の船舶又は航空機をいう。

2　外国公館等に対する課税資産の譲渡等に係る免税（措法86①）❖

　事業者（免税事業者を除く。）が、本邦にある外国の大使館等又は外国の大使等に対し、課税資産の譲渡等（特定資産の譲渡等に該当するものを除く。）を行った場合において、その大使館等又は大使等が任務を遂行するために必要なものとして一定の方法により行った課税資産の譲渡等については、消費税を免除する。

3　海軍販売所等に対する物品の譲渡に係る免税（措法86の2①）

　事業者（免税事業者を除く。）が、海軍販売所等に対して合衆国軍隊の構成員等が輸出する目的でこれらの機関から一定の方法により購入する物品で一定のものを譲渡する場合には、消費税を免除する。

Comment
●租税特別措置法における免税は、出題実績はあるものの、完成度は求められていないため、3つの規定の概要と用語などを押さえて、ある程度の内容が記載できれば十分です。余力があれば押さえていきましょう。

過去10年の
本試験理論問題

本試験の理論問題を原文のまま掲載しています。
試験対策として、問題の傾向の把握にご利用ください。

【巻末付録】

問1 次の各問に答えなさい。

⑴ 「課税資産の譲渡等」と「課税仕入れ」について、それぞれの意義を述べなさい。

また、一の取引について、売主が行う取引が「課税資産の譲渡等」に該当するのであれば、買主側では「課税仕入れ」に該当するというように、「課税資産の譲渡等」と「課税仕入れ」は、表裏の関係にあるものであるが、表裏の関係とならない取引がある場合には、その取引について理由を付して具体的に述べなさい。

　(注) 解答に当たっては、消費税法施行令に定める事項については、触れる必要はない。

⑵ 非課税となる国内取引のうち、税の性格から課税対象とすることになじまないものを簡潔に述べなさい。

また、「課税売上割合」の計算方法、及び「課税売上割合」の計算上、上記非課税となる国内取引について、注意すべき点を述べなさい。

　(注) 1 非課税となる国内取引の解答に当たっては、消費税法施行令に定める事項については、触れる必要はなく、例えば消費税法別表第1第1号で規定する非課税取引は「土地の譲渡、貸付け」、同法別表第1第2号で規定する非課税取引は「有価証券、支払手段の譲渡」のように簡潔に記載する。

　　　 2 「課税売上割合」の計算方法の解答に当たっては、適宜算式を用いることとして差し支えない。

問2 次の⑴～⑶の各取引について、選択欄から正解を1つ選んで、その理由を述べなさい。また、消費税の計算に当たり注意すべき点があればそれについても述べなさい。

なお、特に断りがない限り、いずれも国内において行われた取引である。

⑴ 当社は、当社の代表取締役が所有する土地に借地権を設定し、その土地を当社の営業所として利用しています。

この度、甲市における道路改良事業のため、当社の営業所として利用している土地が、甲市に収用されることとなりました。

このため、当社と甲市は土地収用に伴う借地権の権利消滅補償契約を締結し、当社は、甲市から借地権を消滅させることに対する補償金を受け取ることとなりました。

この補償金に係る取引について、消費税法令の適用関係はどのようになりますか。

≪選択欄≫

　課税取引　　　非課税取引　　　免税取引　　　左記以外(不課税取引)

(2)　当社は、国外の石油化学プラントの建設工事における技術的な指導、助言、監督に関する業務契約を国内の建設業者と３千万円で締結しました。

　　　この技術的な指導等は、当該建設業者に対して国外の建設工事現場で行うものです。

　　　また、石油化学プラントの建設資材の大部分は国内で調達されます。

　　　この場合の業務契約に係る取引について、消費税法令の適用関係はどのようになりますか。

　　≪選択欄≫

　　　　課税取引　　　　非課税取引　　　　免税取引　　　　左記以外(不課税取引)

(3)　当社は、国外から家具を輸入して国内で販売しています。当社は、輸入先国には事務所は設けていないのですが、輸入品の代金決済のために、輸入先国の銀行（日本国内に支店はない。）に預金口座を開設し、外貨預金を持っています。

　　　この外貨預金から生ずる利息に係る取引について、消費税法令の適用関係はどのようになりますか。

　　≪選択欄≫

　　　　課税取引　　　　非課税取引　　　　免税取引　　　　左記以外(不課税取引)

| 第66回 | 平成28年度　本試験問題 |

問1　次の各問に答えなさい。

(1)　その課税期間の基準期間における課税売上高が１千万円以下の事業者については、その課税期間中に国内において行った課税資産の譲渡等及び特定課税仕入れにつき、消費税の納税義務を免除することとされているが、相続があった場合については、納税義務の免除の特例が設けられている。この相続があった場合の納税義務の免除の特例について述べなさい。

(2)　消費税法では、国内において事業者が行った資産の譲渡等（特定資産の譲渡等に該当するものを除く。）及び特定仕入れには、この法律により、消費税を課することとされている。

　　　この資産の譲渡等のうち、役務の提供が国内で行われたかどうかの判定について、役務の提供の区分に応じ、その定める場所について述べなさい。

　　(注)　消費税法施行規則に規定する部分については触れる必要はない。

問2　次の(1)〜(6)の各問について、選択欄から正解を選んで、その理由を述べなさい。
　(注)　1　特に断りがない限り、いずれも課税事業者である内国法人が平成28年
　　　　　　3月中に国内において行った取引である。
　　　　2　法令の適用に関し、満たすべき要件がある場合には、その要件をすべて
　　　　　　満たしているものとする。
(1)　当社は、鞄、靴販売を営み国内に支店を有する外国企業からの依頼を受け、国
　内の市場調査を行いました。この市場調査は、国内に新たな事業（教育産業ビジ
　ネス）を展開するためのものであることから、直接、国外の本社と契約を締結し
　ており、調査報告書も本社に対して、データ伝送をしています。
　　この市場調査に係る取引について、消費税法令の適用はどのようになりますか。
　≪選択欄≫
　　　課税取引　　　　非課税取引　　　　免税取引　　　　左記以外（不課税取引）

(2)　当社は、外貨両替店を営んでおり、国内に旅行に来ている外国人旅行客A（国
　内に住所又は居所を有しない者）から依頼があり、外国通貨と邦貨を両替しまし
　た。この際、外国人旅行客Aから両替手数料を受領しています。
　　この両替手数料について、消費税法令の適用はどのようになりますか。
　≪選択欄≫
　　　課税取引　　　　非課税取引　　　　免税取引　　　　左記以外（不課税取引）

(3)　当社は、インターネットを介しての音楽、映像の配信サービス業を営んでおり、
　国内に旅行に来ている外国人旅行客A（国内に住所又は居所を有しない者）に対
　して音楽の配信を行いました。
　　この音楽配信に係る取引について、消費税法令の適用はどのようになりますか。
　≪選択欄≫
　　　課税取引　　　　非課税取引　　　　免税取引　　　　左記以外（不課税取引）

(4)　当社は、日本食レストランを営んでおり、国内に旅行に来ている外国人旅行客
　A（国内に住所又は居所を有しない者）に対して、飲食を提供しました。
　　この飲食の提供に係る取引について、消費税法令の適用はどのようになります
　か。
　≪選択欄≫
　　　課税取引　　　　非課税取引　　　　免税取引　　　　左記以外（不課税取引）

(5)　当社は、ホテル業を営んでおり、宿泊客である国内に旅行に来ている外国人旅
　行客A（国内に住所又は居所を有しない者）から、宿泊期間5日分の宿泊料（ルー
　ムサービス料を含む。）を受領しました。

　　なお、宿泊期間中、外国人旅行客Aが部屋の備品（テレビ）を破損し、廃棄せ
　ざるを得なかったことから、宿泊料とは別に、損害賠償金を受領しています。

　　この宿泊料以外に受領した損害賠償金について、消費税法令の適用はどのよう

になりますか。

≪選択欄≫

　課税取引　　　非課税取引　　　免税取引　　　左記以外（不課税取引）

(6)　当社は、百貨店（特定商業施設）内に出店している手続委託型輸出物品販売場
　　として許可を受けている各テナントとの間で、免税販売手続の代理契約を締結し、
　　百貨店内に免税手続カウンターを設置しています。

　　　国内に旅行に来ている外国人旅行客A（国内に住所又は居所を有しない者）は、
　　同一日に、手続委託型輸出物品販売場である甲店において、日本酒セット（税抜
　　販売価額750,000円）を、同じく手続委託型輸出物品販売場である乙店において、
　　ポーチ付化粧品（税抜販売価額4,000円）をそれぞれ1個購入したため、免税手
　　続カウンターに免税手続に訪れました。

　　　この甲店及び乙店が外国人旅行客Aに対して商品を販売した取引について、消
　　費税法令の適用はどのようになりますか。

　　（注）　　外国人旅行客Aの所持する旅券等の提示など具体的な免税手続や消費税
　　法施行規則に定める事項については、触れる必要はない。

≪選択欄≫

　課税取引　　　非課税取引　　　免税取引　　　左記以外（不課税取引）

問1 次の各問に答えなさい。

(1) 特定資産の譲渡等に該当する役務の提供の意義について述べなさい。

(2) 国内において特定資産の譲渡等が行われた場合に、特定資産の譲渡等を行った事業者及び事業として特定資産の譲渡等を受けた事業者における消費税法令の適用関係について述べなさい。

なお、消費税が課される場合には、その納税義務者及び納税義務の成立の時期について、その根拠も含めて述べなさい。

(3) (2)において、特定資産の譲渡等を受けた事業者が、課税事業者でかつ国外事業者である場合に消費税が課されるものがあれば、その理由も含め具体的に述べなさい。

(注) 上記(1)〜(3)の解答に当たっては、消費税法第9条第1項等の納税義務の免除に関する規定及び所得税法等の一部を改正する法律（平成27年3月31日法律第9号）附則第38条等に規定する、特定資産の譲渡等に関する経過措置については触れる必要はない。

問2 消費税法に関する以下の文章について、正誤及びその理由を述べよ。

(1) 消費税法第5条第1項の規定により納税義務が課されるものは、国内における商品の販売やサービスの提供であるから、国内以外の地域で行われる商品の販売は課税資産の譲渡等に該当しない。

(2) 関税法に規定する保税地域において、事業者が関税法上の輸出許可を受けた貨物を他の事業者に有償で譲渡した場合、消費税法令に定める一定の書類の保存があれば消費税は免除される。

(3) その課税期間における課税売上高が5億円を超えるとき、又はその課税期間における課税売上割合が百分の九十五未満のときには、消費税法第30条第2項第1号若しくは第2号に規定する方法によって、課税標準に対する消費税額から控除する課税仕入れに係る消費税額を計算することとなるが、同項第1号に規定する個別対応方式による場合には、例えば、課税資産の譲渡等にのみ要する課税仕入れを抽出して、それ以外の課税仕入れ全てについて、課税資産の譲渡等とその他の資産の譲渡等に共通して要するものとして計算することができる。

(4) その課税期間において課税事業者である事業者は、原則として消費税法第45条第1項により消費税の確定申告書を提出する必要があるが、例えば、国内において行った課税資産の譲渡等に係る課税標準である金額に対する消費税額が1,000,000円で、当該消費税額から控除することができる仕入れに係る消費税額等の同項第3号イからニに掲げる消費税額の合計額も1,000,000円である場合、消費税の納付税額が生じないことから、消費税の確定申告書を提出する義務はない。

問1　次の(1)・(2)の各問に答えなさい。

(1)　その課税期間に係る基準期間における課税売上高が1,000万円以下である場合（その課税期間に係る基準期間がない場合を含む。）であっても、消費税法第9条第1項の規定が適用されずに、課税資産の譲渡等及び特定課税仕入れについて納税義務が課される課税期間について簡潔に述べよ。

　　※　消費税法第9条第1項の規定が適用されないこととなる各規定において、各規定が一定の法人を対象とする場合の当該法人の定義（該当要件）及び消費税法施行令の内容については触れる必要はない。

　　　　また、相続、合併、分割等があった場合の納税義務の免除の特例についても触れる必要はない。

(2)　その課税期間において課税事業者である者等は、消費税法第45条の規定に基づき消費税の確定申告書を提出しなければならないこととされている。この消費税の確定申告書の提出期限について、提出すべき者の態様ごとに述べよ。

問2　次の(1)～(4)において、各事業者が行うべき消費税法上の手続きについて述べよ。

　　なお、いずれの事業者も課税期間の特例（消費税法第19条第1項第3号から第4号の2に規定する課税期間）の適用はない。

(1)　課税事業者Aは甲商店街で雑貨の小売店を営む個人事業者である。この度、近隣の港湾施設（港湾法第2条第5項に規定する港湾施設である。）に月に一回程度、外国から外国人旅行客が乗船したクルーズ船が寄港することとなった。このため、Aは準備が整い次第、クルーズ船が寄港する日に港湾施設内に臨時で輸出物品販売場を開設することにした。

　　なお、甲商店街には、商店街内の手続委託型輸出物品販売場に関する手続きを受託する免税手続カウンターが設置されているが、Aの店舗は輸出物品販売場の許可を受けていない。また、Aの事業は同店舗の営業のみである。

(2)　消費税法に規定する国外事業者であるBは、全世界を対象にインターネットにより各国のニュースを配信することを目的にX国で平成29年1月に資本金100万円（円換算の金額、以下(2)において同じ。）で新たに設立された事業年度1年の12月決算法人で、他に支店、事務所等は有していない。Bが提供するサービスは、インターネット上でクレジットカードによる料金の支払を前提とした会員登録を行えば誰でもその提供を受けることができるもので、このサービスの提供を本年（平成30年）10月から開始する予定である。

　　Bは、これまで消費税法に規定する届出等は何ら行っていないが、顧客に日本国内の課税事業者も想定していることから、サービス開始までに、Bが提供するサービスを受ける日本国内の課税事業者が当該サービスの提供について消費税法第30条の規定に基づく仕入れに係る消費税額の控除を受けることができるようにしておくことにした。

　　なお、設立から当該サービスを開始する10月まで他に売上げは生じない。また、サービス開始までの設備投資等は設立当初にX国で購入した2,000万円の

サーバーの購入が一番大きなもので、これ以外は数10万円程度の経費である。

(3) 課税事業者Cは、起業5年目でアイデア日用品の製造卸売業を営む個人事業者である。これまでCの売上高は毎年1,500万円前後であったが、昨年末、新商品が話題となったことから、昨年はこれまでで最高の売上高1,800万円、これに伴う消費税及び地方消費税を合わせた年間の納税額も30万円とこれまでの最大額であった。

今年は年初よりこれまでになく活況で、最終的な売上高もこれまでの3〜4倍規模と見込んでいる。

事業開始からこれまでは、一年間の税額を確定申告で一度に納税していたが、このような状況から、今年は、半年分について、その期間の売上げ、仕入れ等、取引金額に応じた納税を行うことにした。

(4) 課税事業者Dは、平成平成19年に資本金1,000万円で設立された事業年度1年の3月決算法人である。Dの課税売上高は、これまでいずれの課税期間とも3,000万円前後であったことから、消費税法第37条第1項に規定する届出書を提出して簡易課税制度を適用して申告を行ってきた。

ところが、当課税期間中である12月20日に火災が発生し事業用設備が焼失したことから、これに代わる新しい事業用設備を翌年1月上旬に850万円（税込価格）で急遽購入し、購入後、1月20日から通常どおり営業を再開した。

Dは営業再開後、2月上旬に当課税期間の消費税の納税額等を試算したところ、この設備購入により当課税期間については簡易課税制度を適用せずに申告を行えば還付となることが確実であることが分かったので、当課税期間については還付申告を提出することにした。

なお、翌課税期間以後については、改めて簡易課税制度を適用して申告を行うことを予定している。

問1　次の各問に答えなさい。

(1)　消費税法では、輸出免税制度が採用されており、消費税の課税事業者が、国内において行う課税資産の譲渡等のうち、消費税法第7条の規定に該当するものは消費税が免除される。

　イ　この免除の対象となる取引及びその適用を受けるための要件について簡潔に述べなさい。

　　　なお、免除を受けるための要件については、その取引の態様ごとに、その取引に該当することを証明する方法を記載すること。

　ロ　輸出免税制度が採用されている理由について、国境を越えて行われる取引に係る消費税の課税の考え方に触れつつ、簡潔に述べなさい。

　（注）　消費税法第8条に規定する輸出物品販売場制度及び消費税法以外の法令の規定により消費税が免除されるものについては、触れる必要はない。

(2)　資産の譲渡等に該当しないものであっても、消費税法第30条の規定の適用上、課税資産の譲渡等に係る輸出取引等に該当するものとみなされるものについて、具体例を挙げて述べなさい。

問2　消費税法第 37 条第1項に規定する中小事業者の仕入れに係る消費税額の控除の特例（簡易課税制度）に関して、次の各問に答えなさい。

(1)　個人事業者Aは、高齢となった父親Bが経営していた事業（ケーキの製造業）を1年前（前課税期間）に承継した。事業の承継前におけるBの年間の課税売上げは約3,000万円（税込）で推移しており、Bは消費税の申告に当たり、簡易課税制度を選択していた。Aは、もともと不動産貸付業を営み、年間の課税売上げは約2,500万円（税込）で推移し、消費税の課税事業者であるが、これまで簡易課税制度の適用を選択していない。

　　Aは、事業の承継を機に設備を更新することとし、本年（当課税期間）において新たな製造用機械900万円（税込）の購入行った。Aは、本年（当課税期間）までは、引き続き一般課税により消費税の申告を行うこととし、翌年（翌課税期間）から簡易課税制度の適用を受けたいと考え、本年末までに所轄税務署長に「消費税簡易課税制度選択届出書」を提出することとした。

　　なお、A、Bの事業は記載したものがすべてであり、それぞれの事業に係る課税売上げは各年で一定であることを前提とし、また、A、Bはこれまで「消費税課税事業者選択届出書（消費税法第9条第4項に規定する届出書）を提出したことはない。

　　この場合において、Aの翌課税期間における消費税の簡易課税制度の適用について、次の各項目に触れながら述べなさい。

　イ　簡易課税制度の適用要件

　ロ　消費税簡易課税制度選択届出書の提出が制限される場合

(2) 簡易課税制度における消費税額の計算においては、事業の種類ごとの区分（事業区分）に応じた一定の控除割合（みなし仕入率）を用いるが、消費税法令に規定する各事業区分に該当する事業の意義及び各事業区分に適用されるみなし仕入率について述べなさい。

(3) 簡易課税制度の適用を受ける場合に、課税標準額に対する消費税額から控除することができる課税仕入れ等の税額の合計額とされる金額について、原則的な計算方法及び複数の事業を営んでいる場合に適用できる特例的な計算方法について述べなさい。また、事業の種類ごとの区分をしていないものがある場合の適用関係について述べなさい。

　　（注）　解答に当たり、適宜算式等を用いることとして差し支えない。

第70回　令和2年度　本試験問題

問1　消費税法第30条における課税仕入れ等に係る消費税額の控除（仕入税額控除）に関して、次の(1)から(3)までの各問に答えなさい。

(1) 事業者が仕入税額控除を受けるためには、その課税仕入れ等に関する諸事項が記載された帳簿及び請求書等を保存することが要件とされている。その保存することが要件とされている請求書等のうち、事業者に対し課税資産の譲渡等（消費税法第7条に定める輸出免税等により消費税が免除されるものを除く。）を行う他の事業者が、当該課税資産の譲渡等につき当該事業者に交付する書類である場合の記載事項について述べなさい。

　　（注）　解答に当たって、消費税法施行令に規定する部分についても触れること。

(2) 事業者が国内において行った課税仕入れのうち、国外事業者から受けた電気通信利用役務の提供（事業者向け電気通信利用役務の提供を除く。）に係る仕入税額控除について述べなさい。また、この仕入税額控除を受ける場合において保存することが要件とされている帳簿及び請求書等の記載事項について述べなさい。

(3) 課税仕入れ等に関する諸事項が記載された帳簿及び請求書等を保存している場合であっても、消費税法において仕入税額控除を受けるための規定が適用されない場合について述べなさい。

　　（注）　解答に当たって、消費税法施行規則に規定する部分について触れる必要はない。

問2 次の⑴から⑶までの各問に答えなさい。なお、解答に当たっては、適宜算式等を用いることとして差し支えない。

⑴ 課税事業者であるＡは、法人Ｘとの間で中古建物の売買契約を締結し、当課税期間において譲渡対価を収受して当該建物を引き渡した。また、当該売買契約において、当該建物に係る固定資産税の未経過分に相当する金額については、買主であるＸが負担することとしており、Ａは建物の譲渡対価とは別に当該固定資産税の未経過相当額を収受した。

　　この場合のＡが行う建物の譲渡について、消費税法令上の適用関係を述べなさい。

　（注）　解答に当たっては、課税資産の譲渡等の対価の額の意義についても触れること。

⑵ 課税事業者であるＢは、紅茶とティーカップを仕入れ、パッケージングしてセット商品として税抜価額 10,000 円で販売しようと考えている。また、これらの仕入価格は、紅茶が 5,480 円（税込み）、ティーカップが 2,480 円（税込み）となっている。

　　このセット商品の販売に係る消費税の適用税率について、消費税法令上の適用関係を述べなさい。

　（注）　解答に当たっては、所得税法等の一部を改正する法律（平成 28 年法律第 15 号）附則第 34 条第 1 項第 1 号に規定する「飲食料品」の意義、消費税法施行令等の一部を改正する政令（平成 28 年政令第 148 号）附則第 2 条第 1 号に規定する「一体資産」の意義についても触れること。

⑶ 課税事業者であるＣは、米を生産して販売している農家であり、消費税法第 37 条第 1 項に規定する届出書を提出し、中小事業者の仕入れに係る消費税額の控除の特例（簡易課税制度）を適用して申告している。また、米は食用のほか、一部は飼料用としても販売している。

　　この簡易課税制度による申告に当たって、消費税法令上の適用関係を述べなさい。

問1　次の(1)～(3)の間に答えなさい。

(1)　課税売上割合が著しく変動した場合の調整対象固定資産に関する仕入れに係る消費税額の調整について述べなさい。なお、解答に当たって、適宜算式等を用いることとして差し支えない。

(2)　消費税法第 45 条の２第１項に規定する法人の確定申告書の提出期限の特例について簡潔に述べなさい。なお、解答に当たって、消費税法施行令及び消費税法施行規則に規定する部分について触れる必要はない。

(3)　消費税法第 46 条の２に規定する電子情報処理組織による申告の特例について、この特例の対象となる事業者にも触れながら簡潔に述べなさい。なお、解答に当たって、消費税法施行令及び消費税法施行規則に規定する部分について触れる必要はない。

問2　消費税に関する次の(1)～(4)の内容の正誤を答え、その正誤についての理由を消費税法令に沿って説明しなさい。

(注)　1　特に断りがない限り、いずれも課税事業者である内国法人が、国内において行った取引である。

2　法令の適用に関して満たすべき要件がある場合には、その要件を全て満たしているものとする。

(1)　プロスポーツチームを運営する法人Aは、非居住者である個人事業者Xを当該チームの監督として招き、当該チームの競技指導を受けてその対価を支払った。Aは、同監督から受ける競技指導に係る役務の提供を消費税法上の特定役務の提供として処理している。

(2)　社会福祉法人（昭和 26 年法律第 45 号）に規定する社会福祉事業を営む社会福祉法人Bは、同法に規定されている授産施設を経営する事業において生産活動としての作業に基づいて作製された物品を販売した。Bはこの収受した対価を、課税資産の譲渡等の対価として課税で処理している。

(3)　不動産業を営む法人Cは、国外に所有している土地の売却のために、国内の弁護士Yに対し、国内において行ったコンサルティングに係る手数料を支払った。Cは仕入控除税額の計算に当たって、課税売上割合が 95％に満たないことから、個別対応方式（消費税法第 30 条第２項第１号に規定する計算方法）を適用しており、当該コンサルティングに係る手数料を課税資産の譲渡等以外の資産の譲渡等にのみ要するものに区分している。

(4)　デパートにテナントを出店している法人D（消費税法第 37 条第１項に規定する届出書を提出し、簡易課税制度を選択している者）は、支払手数料としてデパートに対してその売上高の一定割合を支払っている。デパートとDの間では、商品売買契約（テナントの売上げをデパートの売上げと認識し、テナントで売り上げたものについてデパートはテナントからの仕入れを計上する、いわゆる消化仕入れの方式）を締結しており、Dは、テナントの売上高から支払手数料

として支払った金額を控除した金額をデパートに対する売上げとして計上している。Dは、当該テナントにおける売上げを簡易課税の事業区分の判定において第二種事業と判定している。なお、Dは、他の者から仕入れた商品をそのまま販売している。

問1 次の(1)及び(2)の問に答えなさい。

(1) 特定課税仕入れに係る対価の返還等を受けた場合の消費税額の控除に関して、「特定課税仕入れ」の意義、「特定課税仕入れに係る対価の返還等」の意義及び「特定課税仕入れに係る支払対価の額」の意義を述べた上で、当該消費税額の控除に係る内容と要件を述べなさい。また、当該特定課税仕入れに係る対価の返還等を受けた場合の消費税額の控除で、相続、合併又は分割があった場合の取扱いについて述べなさい。なお、解答に当たって、消費税法施行令に定める事項について触れる必要はない。

(2) 消費税法上の「価格の表示」について、義務付けられる対象者、対象となる取引及び対象から除かれている取引に触れながらその内容を述べ、それを踏まえて次のイ〜ニの価格が、当該「価格の表示」の対象となるかどうかを答えなさい。なお、解答に当たって、価格の具体的な表示例に触れる必要はない。

イ スーパーマーケットのチラシに表示する価格
ロ 卸売業者が小売店向けに作成した業務用商品カタログに表示する価格
ハ 見積書に表示する価格
ニ 口頭で伝える価格

問2 日本国内に本店を有する株式会社A（以下「A社」という。）の次の(1)〜(5)の取引に関する消費税法令上の適用関係について、その理由を示して簡潔に答えなさい。

(1) A社は、日本国内に本店を有する株式会社B（以下「B社」という。）のインドネシア共和国に所在する工場から商品を仕入れ、これを日本国内に持ち込まないで、直接マレーシアの発注者である外国法人C社に納品している。なお、この取引については、A社の本店で仕入れ・売上げを計上しており、また、A社とB社との間の売買は、国内において、B社の本店から託送中の商品に係る船荷証券の譲渡を受けて、商品代金を支払っている。

(2) A社が製造する部品αの特許権は、アメリカ合衆国及びフランス共和国の二国のみで登録されている。A社は、アメリカ合衆国の外国法人Dに対し、同国で登録された特許権を譲渡し、その対価を収受した。

(3) A社は、A社の出資先である外国法人E（以下「E社」という。）の株式を国内に本店を有する株式会社Fに譲渡し、その対価を収受した。なお、E社は株券を発行していないためA社はその株券を有しておらず、また、E社の株式については振替機関等が取り扱うものではない。

(4) A社は、シンガポール共和国の外国法人G（以下「G社」という。）に対して現地通貨で金銭を貸し付けている。A社は、貸付金に係る利息をG社から収受し、A社の本店で受取利息として計上している。

(5) A社は、アメリカ合衆国に本店を有し書籍の販売業を営む外国法人H（以下「H社」という。）から、インターネットを介して事業者向けの専門誌（電子書籍）の配信を受け購入した。なお、H社はこれまで、日本の税務に係る申請手続を行ったことはない。

第73回　令和5年度　本試験問題

問1 （30点）

A社は、不動産貸付業を営む6月末決算の内国法人であるが、課税事業者である令和4年7月1日から令和5年6月30日までの課税期間（事業年度）に行った次の取引に関して、(1)〜(3)の問に答えなさい。

A社は、令和5年4月1日に、個人Bとの間で、国内に所在するB所有の居住用家屋（戸建て）について、個人Bを売主、A社を買主として、24,200,000円で売買する契約を締結し、同年5月1日に個人Bから当該居住用家屋の引渡しを受けた。

また、A社は、同日（令和5年5月1日）に、個人Cとの間で、当該居住用家屋について、A社を貸主、個人Cを借主として、同年6月1日から1年間、居住用として貸し付け、その賃貸料を1か月当たり200,000円とする契約を締結し、同日から個人Cに貸し付けた。なお、当該貸付けは、旅館業法（昭和23年法律第138号）第2条第1項に規定する「旅館業に係る施設の貸付け」には該当しない。

おって、個人B及び個人Cは、いずれも国内に住所を有する本邦人であり、事業は営んでおらず、A社以外の内国法人に勤務している。

(1) 上記居住用家屋の売買がA社において消費税法上の課税仕入れとなるかどうかについて、「課税仕入れ」の意義を述べた上で簡潔に説明しなさい。

(2) 上記居住用家屋の売買がA社において消費税法上の課税仕入れとなる場合、当該課税仕入れに係る消費税額が消費税法第30条第1項《仕入れに係る消費税額の控除》の規定による仕入税額控除の対象となるかどうかについて、「居住用賃貸建物」の意義を述べた上で簡潔に説明しなさい。

（注1）　A社における課税仕入れについては、その事実を明らかにした帳簿及び請求書等が法令に従って適正に保存されている。

（注2）　A社は消費税法第37条第1項《中小事業者の仕入れに係る消費税額の控除の特例》に規定する簡易課税制度の適用を受けていない。

(3)　A社が個人Cに対して行う上記居住用家屋の貸付けについて、消費税が課されるかどうか、消費税が非課税とされる「住宅の貸付け」の範囲に触れながら、簡潔に説明しなさい。

　（注）　消費税法施行令に定める事項についても触れること。

問2 （20点）

　次の(1)〜(3)の問に答えなさい。なお、(2)及び(3)について、いずれも課税事業者である法人が、令和5年3月に国内において行った取引である。

(1)　建設業を営む内国法人D社は、令和4年11月1日に資本金10,000,000円で設立された3月末決算の株式会社であり、設立日から、国内における課税資産の譲渡等に係る事業を開始しているが、令和5年1月16日に、納税地を所轄する税務署長に対し、消費税の課税期間を三月ごとの期間に短縮することについての届出書（消費税課税期間特例選択届出書）を提出した。この場合において、D社の設立第1事業年度（令和4年11月1日から令和5年3月31日までの期間）の消費税の課税期間がどのようになるか、上記届出書の効力の生ずる時期に触れながら述べなさい。

(2)　食品卸売業を営む内国法人E社は、飲食店業を営む内国法人F社に対して、F社が経営するレストランで提供する食事の食材（肉類）を販売した。E社がF社に対して行う食材（肉類）の販売に係る消費税の税率について、消費税法令上の適用関係を述べなさい。

　（注）　解答に当たっては、所得税法等の一部を改正する法律（平成28年法律第15号）附則第34条第1項第1号イに規定する「食事の提供」の意義に触れることとし、消費税法施行令及び消費税法施行規則に定める事項について触れる必要はない。

(3)　機械製造業を営む内国法人G社は、取引先の内国法人H社に対する商品販売に係る売掛金債権及び取引先の内国法人I社に対する資金融通に係る貸付金債権について、取引先の内国法人J社へ有償で譲渡した。G社が行う上記売掛金債権及び貸付金債権の譲渡について、消費税が課されるかどうか、また、課税売上割合の計算上、注意すべき点を述べなさい。

問1 （35点）

A社は、家具製造業を営む3月末決算の内国法人であり、令和5年10月1日から適格請求書発行事業者となっている。適格請求書の交付に関して、(1)〜(3)の問に答えなさい。

(1) 適格請求書発行事業者はどのような場合に適格請求書を交付しなければならないかについて、「課税資産の譲渡等」の意義を述べた上で簡潔に説明しなさい。

   （注） 「適格請求書」の意義及び法令の規定により適格請求書の交付義務が免除される場合について触れる必要はない。

(2) A社が令和5年11月に行った次のイ及びロの取引（取引の相手方は課税事業者に該当する。）に関して、消費税の課税関係及び適格請求書の交付の要否について、消費税法令に沿って説明しなさい。なお、法令の適用に関して満たすべき要件がある場合には、その要件を全て満たしているものとする。

   イ A社は、家具製造業を営む外国法人B社（消費税法上の非居住者に該当する。）に対して、A社が有する意匠権（日本でのみ登録されている。）の通常実施権を許諾し、その許諾料を受領した。

   ロ A社は、家具販売業を営む外国法人C社（消費税法上の非居住者に該当する。）から依頼を受け、インターネット上のA社のホームページに、C社の販売商品の広告（C社が企画及び制作したものである。）を掲載し、C社から広告掲載料を受領した。

(3) A社は、小売業を営む内国法人D社に対して、A社が製造した家具の国内での販売を委託しているところ、D社が受託販売する当該家具を購入した者に対する適格請求書の交付について、消費税法施行令第70条の12第1項《媒介者等による適格請求書の交付の特例》の規定（以下「媒介者交付特例」という。）の適用を受けることを検討している。

   この媒介者交付特例について、適用を受けるための要件に触れながらその内容を述べるとともに、媒介者交付特例を適用した場合に商品販売の委託者であるA社及び受託者であるD社が法令上行うべき事項について述べなさい。

問2 （15点）

消費税に関する(1)〜(3)の内容の正誤を答え、その正誤についての理由を消費税法令に沿って簡潔に説明しなさい。

(1) 消費税法第9条第1項《小規模事業者に係る納税義務の免除》に規定する「基準期間における課税売上高」には、同法第31条第1項《非課税資産の輸出等を行った場合の仕入れに係る消費税額の控除の特例》の規定により課税資産の譲渡等に係る輸出取引等に該当するものとみなされるものの対価の額は含まれない。

(2) 免税事業者であった課税期間中に国内において行った棚卸資産の課税仕入れについて、課税事業者となる課税期間中に当該課税仕入れに係る対価の返還等を受けた場合、消費税法第32条《仕入れに係る対価の返還等を受けた場合の仕

入れに係る消費税額の控除の特例》の規定が適用されることはない。
⑶　中間申告書を提出すべき事業者が消費税法第43条第1項《仮決算をした場合の中間申告》の規定により仮決算をして中間申告書を提出する場合において、同項第2号《課税標準額に対する消費税額》に掲げる金額から同項第3号《控除されるべき消費税額》に掲げる金額を控除して控除不足額が生じたときは、当該控除不足額につき還付を受けることができる。

慣用句の使い方を押さえよう！

　法律の文章には、特別な意味をもって共通に用いられる「慣用句」というものがあり、難しい専門用語が並ぶ条文を理解するためには、これらの共通に用いられる言葉を理解できていないと正確な読み取りができなくなってしまいます。

　以下に出てくる言葉は、頻繁に出てくる慣用句ですので、正確に押さえましょう。

1.「及び」と「並びに」

　ともに**併合的な複数のものを併記**する場合に用います。英語でいうところの「and」に該当します。

① 「及び」

　２者の単純な併記である場合には「Ａ及びＢ」となり、３者以上を併記する場合には「Ａ、Ｂ及びＣ」といったように併記するものを「、」でつなげ列挙し、最後のものの前に「及び」をつけます。

② 「並びに」

　併合が２段階になる場合に、**小さい接続に「及び」**を用い、「及び」でつながれた選択肢を**大きい選択肢と併合する場合に「並びに」**を用います。

　（例…資産の譲渡<u>及び</u>貸付け<u>並びに</u>役務の提供をいう。）

　なお、段階的な比較がない場合には「及び」のみを用い、「並びに」は使用しないので注意しましょう。

2.「又は」と「若しくは」

　ともに**選択的な複数のものを併記**する場合に用います。英語でいうところの「or」に該当します。

① 「又は」

　２者の単純な選択である場合には「Ａ又はＢ」となり、３者以上を併記する場合には「Ａ、Ｂ又はＣ」といったように併記するものを「、」でつなげ列挙し、最後のものの前に「又は」をつけます。

② 「若しくは」

　選択が２段階になる場合に、**小さい接続に「若しくは」**を用い、「若しくは」でつながれた選択肢を**大きい選択肢と比較する場合に「又は」**を用います。

　（例…資産を譲り受け、<u>若しくは</u>借り受け、<u>又は</u>役務の提供を受けることを〜）

　なお、段階的な比較がない場合には「又は」のみを用い、「若しくは」は使用しないので注意しましょう。

3.「場合」と「とき」

ともに**条件を示す**場合に用います。

① 「場合」

　　前提条件が１つの場合には、「場合」を用います。

　（例…相続があった<u>場合</u>には、相続人は被相続人の～）

② 「とき」

　　前提条件が２つ以上の場合には、**大きな条件を「場合」、小さな条件を「とき」**とそれぞれ用います。

　（例…個別対応方式による<u>場合</u>において～満たす<u>とき</u>は～）

　※　なお、「時」と漢字で記載されている場合には、「一定時点」を指すこととなるので、「とき」との使い分けに注意が必要です。

4.「みなす」と「とする」

① 「みなす」

　　ある事物と**異なる事物を一定の法律関係において同一視し、同じ法律効果を生じさせる場合**に用います。

　（例…事業として対価を得て行われた資産の譲渡と<u>みなす</u>。）

② 「とする」

　　①と異なり、**本来そのように取り扱う性質を十分に兼ね備えている場合**において、制度としてそのようにするというときに用います。

　（例…課税売上割合に代えて、その割合を用いて計算した金額<u>とする</u>。）

5.「者」、「物」、「もの」

① 「者」

　　法律上の**人格を有するものを表す場合**に用いる言葉で、「自然人」と「法人」を表します。なお、法律上の人格を有しない「人格のない社団等」は含みません。

② 「物」

　　法律上の人格を有するもの以外の**有体物を指す場合**に用います。

③ 「もの」

　　「者」や「物」で表現できない**抽象的なものを指す場合**や英語でいう**関係代名詞のように先行する用語を受けて、さらに限定するような場合**「～で、～もの」という形で用います。

● 税理士試験の学習を本格的に始める前に…

知識ゼロでも大丈夫！　税理士試験のための簿記入門
税理士試験向けの独自の内容で簿記の基本が学習できる1冊です。
本書を読むことで、税理士試験の簿記論に直結した基礎学習が可能なので、簿記
の学習経験が無い方や基礎が不安な方にオススメです。
2,640円（税込）好評発売中！

法人税法の教材

税理士試験教科書・問題集　法人税法Ⅰ　基礎導入編【2025年度版】	3,300円（税込）	好評発売中
税理士試験教科書　法人税法Ⅱ　基礎完成編【2025年度版】	3,630円（税込）	好評発売中
税理士試験問題集　法人税法Ⅱ　基礎完成編【2025年度版】	3,300円（税込）	好評発売中
税理士試験教科書　法人税法Ⅲ　応用編【2025年度版】	2024年12月発売	
税理士試験問題集　法人税法Ⅲ　応用編【2025年度版】	2024年12月発売	
税理士試験理論集　法人税法【2025年度版】	2,420円（税込）	好評発売中

相続税法の教材

税理士試験教科書・問題集　相続税法Ⅰ　基礎導入編【2025年度版】	3,300円（税込）	好評発売中
税理士試験教科書　相続税法Ⅱ　基礎完成編【2025年度版】	3,630円（税込）	好評発売中
税理士試験問題集　相続税法Ⅱ　基礎完成編【2025年度版】	3,300円（税込）	好評発売中
税理士試験教科書　相続税法Ⅲ　応用編【2025年度版】	2024年12月発売	
税理士試験問題集　相続税法Ⅲ　応用編【2025年度版】	2024年12月発売	
税理士試験理論集　相続税法【2025年度版】	2,420円（税込）	好評発売中

消費税法の教材

税理士試験教科書・問題集　消費税法Ⅰ　基礎導入編【2025年度版】	3,300円（税込）	好評発売中
税理士試験教科書　消費税法Ⅱ　基礎完成編【2025年度版】	3,630円（税込）	好評発売中
税理士試験問題集　消費税法Ⅱ　基礎完成編【2025年度版】	3,300円（税込）	好評発売中
税理士試験教科書　消費税法Ⅲ　応用編【2025年度版】	2024年12月発売	
税理士試験問題集　消費税法Ⅲ　応用編【2025年度版】	2024年12月発売	
税理士試験理論集　消費税法【2025年度版】	2,420円（税込）	好評発売中

国税徴収法の教材

税理士試験教科書　国税徴収法【2025年度版】	4,620円（税込）	好評発売中
税理士試験理論集　国税徴収法【2025年度版】	2,420円（税込）	好評発売中

書籍のお求めは全国の書店・インターネット書店、またはネットスクールWEB-SHOPをご利用ください。

ネットスクール WEB-SHOP

https://www.net-school.jp/

ネットスクール WEB-SHOP　検索

※ 書名・価格・発行年月は変更する場合もございますので、予めご了承ください。（2024年9月現在）

本書の発行後に公表された法令等及び試験制度の改正情報、並びに判明した誤りに関する訂正情報については、弊社WEBサイト内の『読者の方へ』にてご案内しておりますので、ご確認下さい。

https://www.net-school.co.jp/

なお、万が一、誤りではないかと思われる箇所のうち、弊社WEBサイトにて掲載がないものにつきましては、**書名（ＩＳＢＮコード）と誤りと思われる内容**のほか、お客様の**お名前及び郵送の場合はご返送先の郵便番号とご住所**を明記の上、弊社まで**郵送またはe‐mail**にてお問い合わせ下さい。

＜郵送先＞　〒101‐0054
　　　　　　東京都千代田区神田錦町3‐23メトロライフ神田錦町ビル３階
　　　　　　ネットスクール株式会社　正誤問い合わせ係
＜e‐mail＞　seisaku@net-school.co.jp

※正誤に関するもの以外のご質問、本書に関係のないご質問にはお答えできません。
※**お電話によるお問い合わせはお受けできません。**ご了承下さい。

税理士試験　理論集

消費税法　【2025年度版】

2024年９月12日　初版　第１刷

著　　　　者　ネットスクール株式会社

発　行　者　桑原知之

発　行　所　ネットスクール株式会社　出版本部

　　　　　　　〒101‐0054　　東京都千代田区神田錦町3‐23
　　　　　　　電　話　03（6823）6458（営業）
　　　　　　　ＦＡＸ　03（3294）9595
　　　　　　　https://www.net-school.co.jp

執筆総指揮　山本和史

表紙デザイン　株式会社オセロ

編　　　　集　吉川史織　　加藤由季

ＤＴＰ制作　中嶋典子　　石川祐子　　吉永絢子
　　　　　　　有限会社ドアーズ本舎　　長谷川正晴

印刷・製本　倉敷印刷株式会社

ⒸNet-School　2024　　Printed in Japan　　ISBN 978-4-7810-3828-5

落丁・乱丁本はお取り替えいたします。